À Francis Pisani

l'eode

LA FEMME DIGITALE,

elle aussi convaincue que
le Web change le monde
et qu'elle peut y faire
entendre sa petite musique !

Bien cordialement,

Isabelle Juppé

Du même auteur :

À Bicyclette, Grasset, 1994.
De Mémoire de grand-mères : *le XXᵉ siècle raconté par celles qui l'ont fait*, Grasset, 1995.
Une Tempête de ciel bleu, Grasset, 1997.
Jours heureux à Bordeaux, Albin Michel, 1999.

www.editions-jclattes.fr

Isabelle Juppé

LA FEMME DIGITALE

JC Lattès

17, rue Jacob 75006 Paris

Pour l'éditeur, le principe est d'utiliser des papiers composés de fibres naturelles, renouvelables, recyclables et fabriquées à partir de bois issus de forêts qui adoptent un système d'aménagement durable.
En outre, l'éditeur attend de ses fournisseurs de papier qu'ils s'inscrivent dans une démarche de certification environnementale reconnue.

ISBN : 978-2-7096-3003-0
© 2008, éditions Jean-Claude Lattès.
Première édition janvier 2008.

À maman, qui n'a pas eu le temps de vivre cette
révolution numérique...
À mes filles, qui sont nées avec elle...

Avant-propos

Juste derrière la porte-fenêtre qui s'ouvre sur le lac, immense, encore endormi dans le silence du petit matin, une simple table en *bois rond* m'attend. Je l'ai choisie au premier regard. Il est six heures à peine. En France, il doit être midi. Il faudra quelques jours encore pour que s'effacent les effets du décalage horaire.

Un bateau flétrit soudain le miroir d'eau. Quelques légères bouffées d'air jouent dans les sapins, l'été en Estrie flirte avec le paradis.

Dans un geste qui va devenir un rituel matinal canadien, j'allume mon Mac et réveille du même coup les réflexions d'Hélène Grimaud qui y sont enfermées ainsi que toutes les musiques, textes et photos choisis ces derniers mois. J'ouvre ma page perso, me dirige droit vers le nouveau document Word que j'ai préparé hier soir en arrivant. Mes doigts pianotent maladroitement au rythme des notes cristallines de l'*Allegro Affettuoso* de Schuman.

Sur la table, à côté de la pile de carnets remplis de notes, une microscopique clé *usb* bleu translucide attend que je lui confie le double de mes pensées, au cas où mon compagnon de silice me trahirait...

Tout le monde dort dans la maison. Le paysage est le même qu'il y a deux ans. Les lacs ne vieillissent-ils donc pas ? Le temps, *time et weather*, pour reprendre le distinguo britannique, ne laisserait-il aucune empreinte sur eux ?

Est-ce parce que nous sommes plus sensibles au passage du temps que j'ai souhaité confier à mon ordinateur certaines traces de ma vie ? Témoin fidèle de chacune de mes découvertes, de mes émotions et de mes réflexions, de mes enthousiasmes et de mes déceptions, il ne m'a pas lâché depuis ces deux dernières années. Et ce n'est pas un hasard si j'ai choisi d'entamer ici, à quelques dizaines de kilomètres de Montréal, le récit de mon voyage numérique au pays des femmes...

Il y a plus d'un mois que j'ai promis à mon éditrice de lui ramener à la fin de l'été les premières pages de cette aventure d'une femme digitale. C'était lors d'un déjeuner en juin, une conversation ensoleillée de femmes qui avait dérivé de propos très sérieux en confidences plus intimes, de bribes d'actualité en tranches de vie active. Je lui avais parlé de mon nouveau projet d'écriture, né d'une double inspiration.

La première, d'origine professionnelle, avec l'étude que je menais sur les femmes et la révolution numérique. L'idée l'avait d'abord intriguée. Numérique, révolution, femmes : quel fil pouvait-t-on tisser entre ces univers ? Le numérique est une vraie révolution, avais-je expliqué, non seulement technologique et culturelle mais aussi économique et sociologique, qui, de plus en plus vite et de plus en plus fort, bouleverse nos existences. Comment les femmes vivent-elles cette révolution ? Comment en maîtrisent-elles les outils ? En sont-elles actrices ou complices ? La perçoivent-elles différemment des hommes ? Leur féminité y joue-t-elle un rôle et si oui lequel ? Le numérique peut-il être un instrument de leur libération ? Sont-elles inquiètes de l'usage qu'en font leurs enfants ou les guident-elles au contraire dans leur apprentissage ? Peut-on porter un regard féminin sur cette révolution que l'on étudie le plus souvent sous un angle générationnel, géographique ou technologique ? Existe-t-il une perception féminine du futur numérique ?

La seconde, plus personnelle, fondée à la fois sur mon expérience canadienne et sur le souvenir d'un livre que j'avais écrit quelques années auparavant. En 1995, j'avais eu envie de raconter l'histoire du XXe siècle à l'aide de douze femmes très différentes, qui avaient traversé ce siècle[1]. Ce qui m'intéressait, c'était le regard qu'elles portaient sur ce qui s'était passé pendant ce XXe siècle, la façon dont elles avaient vécu les transformations de celui-ci, la grande histoire et leurs petites histoires. Et

---

1. *De mémoire de grand-mères : le XXe siècle raconté par celles qui l'ont fait*, Grasset, 1995.

comment leurs douze existences entremêlées avaient en quelque sorte façonné une femme du XXe siècle. Nous avions abordé tous les sujets de la vie d'une femme : de l'éducation à l'amour en passant par le travail, l'hygiène, la mode, la cuisine, la culture, la condition féminine... Mais pas un mot sur le numérique qui ne faisait évidemment pas encore partie de leur existence. En relisant les pages écrites avec elles douze, je n'ai trouvé trace que du fax, dont certaines étaient devenues des utilisatrices émerveillées !

Si je les avais rencontrées aujourd'hui, moins de quinze ans plus tard, en ce début du XXIe siècle, elles m'auraient sans doute parlé de bien d'autres outils de communication. Mais surtout, avec leur vivacité d'esprit, leur art de capter l'air du temps et d'intégrer les mutations du siècle dans leur propre vie, elles auraient sûrement inscrit le numérique au rang des bouleversements majeurs de leur quotidien.

J'avais envie aujourd'hui de faire un clin d'œil à mes grand-mères du XXe siècle, en tentant de raconter à quoi ressemblerait cette femme digitale du XXIe qui y faisait, me semblait-il, des premiers pas prometteurs.

C'est au Canada, où mes douze mois ont été incontestablement marqués par le numérique, que l'idée m'est d'abord venue, mais c'est à mon retour en France que je l'ai concrétisée.

Comme en 1995, il me fallait rencontrer des femmes et les questionner, pour entremêler ensuite leurs réponses et leurs visions, leurs itinéraires personnels et leurs expériences professionnelles. J'allais ainsi en rencontrer plus d'une vingtaine et en interroger un peu plus d'une centaine d'autres *via* l'Internet, en utilisant le plus simple des outils numériques : la messagerie électronique.

Les rencontres allaient s'étaler sur neuf mois environ. J'avais bien deux ou trois idées précises en tête au départ, mais, très vite, je me suis laissée guider par le hasard des découvertes, par l'effet réseau qui irrigue si bien cet océan numérique. Entre Stéphanie et Elizabeth qui ne se sont jamais rencontrées, il y aurait aussi Oriane, Sandrine, Natacha, Sarah, Noha, Cécile, Anne, Anne encore, Florence, Pauline, Ingrid, Marie-José, Réquia, Valentine, toutes liées par ce fil invisible qui attache les femmes au monde digital. Et puis aussi, au téléphone, Emily, Jill, Régine, Claire, Hélène, Sophie, Antonia, Cathy. Leur histoire personnelle, les aléas de la vie ou les coups de pouce du destin les ont conduites à aborder chacune sur une île du numérique, tout en faisant régulièrement escale sur celles des voisines.

Avec elles, j'atterrirai au fur et à mesure sur l'île de la transmission, celle du glamour, du high tech et du jeu, celle du business, celle de la conversation, celle de l'engagement, celle de la culture, et celle de l'amour et de la séduction.

Quant à mes correspondantes électroniques – plus d'une centaine ; seule une poignée d'entre elles ayant préféré la gomme, le crayon et le timbre poste –, elles ont parfois confirmé mes intuitions digitales ou les ont au contraire éclairées différemment.

Toutes ces rencontres, dans la vraie vie ou sur la toile, je les ai mêlées à ma propre histoire, à mon propre apprentissage et vécu de cet univers numérique. Le résultat n'a aucune ambition scientifique, ni prétention statistique. Mes conversations se sont inscrites dans un temps donné, tout au long de l'année 2007, de Paris à Montréal, New York ou Alexandrie, en s'évadant parfois, par la magie du net, jusqu'en Australie, au Mexique ou au Brésil. Je les ai juste saisies ici et maintenant, convaincue que, demain et ailleurs, de nombreuses autres femmes écriront différemment leur aventure numérique.

Il existe dans le monde des TIC[1] ou dans la blogosphère des millions de femmes de tous âges qui construisent des univers passionnants. Et il existe aussi dans la vraie vie, la vie *offline* – même si les blogueuses ont aussi une vie après le blog ! –, des millions de femmes qui n'ont pas encore franchi la porte de l'Internet, ou l'ont déjà claquée, pour mille et une bonnes raisons.

Et les hommes ? Envisageais-je de les exclure de toutes ces contrées numériques explorées par les femmes, juste pour le principe ? Juste pour le plaisir ? Certainement pas. Ils sont souvent les compagnons de route ou les partenaires efficaces de ces aventures féminines. Mais ce sont elles mes

---

1. Technologies de l'information et de la communication.

héroïnes. Tant il me semble que, dans cet univers digital qui n'a pas fini de se numériser, le temps des femmes est venu. Ni sans, ni contre les hommes. À leurs côtés. Mais parce que la place des femmes dans la société n'est pas exactement la même que celle des hommes, leur rôle dans cette révolution numérique peut être différent. Parce que les défis qu'elles ont à y relever ne sont pas les mêmes que les leurs, leurs combats peuvent être spécifiques. Leurs habitudes, leurs goûts et leurs objectifs sur la toile peuvent être tout autres. Alors que le meilleur ou le pire du monde numérique est encore à venir, tous les talents sont les bienvenus ainsi que toutes les différences, ces indispensables nuances qui font le sel de la complémentarité homme/femme.

C'est pourquoi j'ai eu envie, expliquai-je à mon éditrice, de coucher sur du papier de la *vraie* vie, les morceaux choisis de vie numérique féminine, enfouis au fil des jours dans les entrailles de mon ordinateur. Et de les partager.

1.

De l'enfance analogique
au Canada numérique

Tout a commencé le jour où mon Mac est entré dans ma vie.

Juste avant de franchir l'Atlantique pour venir m'installer un an au Canada avec Alain et nos deux plus jeunes filles, j'avais vécu une autre rupture : l'abandon du PC pour le Mac. Cela faisait des années que mes amis les plus proches, français et canadiens, tentaient de me convaincre de succomber aux charmes de Steve Jobs. Cependant j'avais jusque-là, mue par je ne sais quel conformisme, résisté à trahir Bill Gates. Mais mon PC commençait à donner quelques signes de faiblesse, tout comme ma résistance à la rondeur apaisante de la petite pomme blanche. L'occasion du renouvellement de mon matériel professionnel et la promesse d'une nouvelle vie devaient m'aider à franchir le pas. À l'été 2005, tout soudain devenait possible.

Décidés à prendre la vie du bon côté, nous avions choisi de quitter la France pour l'Amérique du Nord, où nous avions déjà semé de solides graines d'amitié. Alain allait pouvoir y donner des cours sur la mondialisation et moi continuer là-bas mon travail de veille sur le numérique pour un grand groupe de media.

C'est ainsi qu'un jour du mois d'août 2005, emmailloté dans une petite protection de flanelle blanche confectionnée pour lui, et enfermé dans une housse plus rigide grise, mon tout nouveau PowerBook G4 a entrepris le premier d'une longue série de périples transatlantiques. Il voyageait toujours avec moi, au fond de mon bagage à main, jamais dans la soute, même si j'allais souvent devoir le déballer sous le regard soupçonneux d'un officier de la PAF[1] français ou canadien...

Dans notre nouvelle installation, près du parc Outremont à Montréal, nous nous étions d'emblée répartis les rôles, Alain et moi : à lui la voiture et les paperasses administratives, bancaires et médicales, à moi les connexions de la maison : Internet, télévision, téléphone, fixe et mobile ! L'affaire fut assez rondement menée.

En matière d'équipement numérique, nous étions cinq utilisateurs potentiels et avions tous, excepté Clara qui n'avait pas encore 10 ans, emmené notre ordinateur personnel.

---

1. Police de l'air et des frontières.

Les besoins se répartissaient ainsi : Alain voulait poursuivre son blog, qu'avec un ami je l'avais convaincu de créer quelques mois avant le départ, préparer ses cours et ses conférences, et dialoguer avec ses collègues professeurs de Québec, Ottawa, ou Montréal. La jeune étudiante française qui était venue avec nous voulait faire son travail pour la fac et correspondre avec ses profs canadiens, communiquer avec sa famille et ses amis en France, et surtout retrouver sur MSN quasi quotidiennement son petit ami français. Ma fille aînée, 16 ans à l'époque, avait bien l'intention de continuer à chatter – *clavarder* dit-on au Québec, dans une jolie contraction de *clavie*r et de *bavarder* – avec ses amis répartis aux quatre coins de la planète, à regarder ses DVD ou séries sur son ordinateur et à faire chaque soir sa séance d'abdominaux téléchargés. La première requête de Clara était une *webcam* pour pouvoir montrer à ses petites amies bordelaises la tête de Moustique, le hamster québécois que nous avions adopté dès la rentrée. Mais très vite, Google et Wikipédia sont devenus ses alliés – dont elle apprendrait à se méfier parfois – de préparation des exposés sur le Puma, Nelson Mandela, la Chine et bien d'autres sujets !

Quant à moi, mes souhaits étaient multiples, à la fois professionnels, personnels et domestiques. En France, dans l'exercice de mon travail de veille, j'avais appris à apprivoiser peu à peu cet univers numérique, qui allait de la progression du haut-débit sur Internet aux premiers pas de la télévision numérique terrestre, en passant par les perspectives de la troisième génération de la téléphonie mobile ou les opportunités de la *Video on Demand*. Cet univers multimedia peuplé d'outils numériques sans cesse renouvelés m'intéressait bien sûr, mais intuitivement j'étais toujours plus passionnée par l'observation des pratiques et des usages que par celle des technologies. Un regard de femme, me disait-on déjà.

Je me souviens aussi de mon aversion pour le vocabulaire technopompeux, et les sigles anglo-saxons rarement traduits, qui n'étaient d'ailleurs pas l'exclusivité des hommes. J'ai vu et entendu quelques-unes de mes consœurs les utiliser à volonté à l'oral et à l'écrit. L'année qui a précédé mon départ pour le Canada fut assez révélatrice de cette tendance. Je suivais des réunions sur la télévision qui serait diffusée par la téléphonie mobile, que l'on appelle aujourd'hui la TMP : Télévision mobile personnelle.

Il y a déjà quelques années que le téléchargement de séquences vidéos est possible *via* les opérateurs de téléphone mobile, mais l'on pourra dans un futur proche recevoir les chaînes de télévision en direct, *en streaming*, pour faire chic, sur son portable. Comment ? Par la grâce d'une puce DVB-H engloutie dans le mobile, qui permet un mode de diffusion proche de celui de la télévision numérique terrestre. Les réunions préparatoires à l'avènement de cette nouvelle télévision mobile se déroulaient entre experts du monde de l'audiovisuel et de la téléphonie mobile, qui jonglaient avec ce délicieux techno-charabia ! Heureusement accompagnée de personnes plus aguerries que moi, je redoutais néanmoins à chaque fois l'épreuve linguistique, du DVB-H bien sûr[1] aux DRM en passant le P2P et la VOD, sans oublier l'ADSL, la TNT et les podcasts ou autres *flashmobs*.

Au Canada, où j'allais poursuivre mon travail de veille et découvrir, par exemple, que la pratique de la téléphonie sur Internet était plus répandue qu'en France alors que celle de la téléphonie mobile l'était beaucoup moins, mes propres usages numériques allaient être variés.

Il me fallait à la fois consulter mes e-mails (vite rebaptisés courriels à la québécoise) et *newsletters*. Écouter mes *podcasts* quotidiens ou hebdomadaires, comme ceux d'*Europe 1* – pour rester en phase avec l'actualité française – ou celui de Barak Obama, candidat démocrate à la Maison Blanche, qui me permettrait d'améliorer mon anglais et de suivre les prémisses de la campagne présidentielle américaine. Communiquer avec la famille et les amis, tenir mon album photo numérique du séjour canadien, et surtout résoudre, grâce à l'Internet, les mille et une questions de la vie quotidienne à Montréal, dont la plus importante était bien sûr l'angoissante interrogation quotidienne sur le temps. Le site de *météomedia* ne se trompait que très rarement et poussait

---

1. *Digital video broadcast-handed.*

le souci du détail jusqu'à donner pour chaque jour de la semaine, en plus de la température, l'indice du FRE (facteur de refroidissement éolien) que les québécois appelaient le « facteur vent » et qui était l'information indispensable pour sortir de chez soi bien équipé !

Entre l'ADSL et le câble, j'optais pour le second, beaucoup plus répandu en Amérique du Nord qu'en France pour le haut débit[1], la *haute vitesse* dit-on là-bas. Après quelques tâtonnements, la maison fut équipée d'un excellent système sans fil qui permettait de surfer à cinq en même temps, du sous-sol à l'étage. Pour le téléphone local et interurbain, la ligne existant déjà dans la maison, nous avons gardé l'opérateur historique. Et pour la télévision, que nous n'avons, à vrai dire, pas eu beaucoup le temps de regarder, le câble nous offrait le choix de plusieurs centaines de chaînes francophones et anglophones.

C'est ainsi que notre vie digitale a démarré à la fin de notre premier été canadien, une vie numérique essentiellement féminine, puisqu'à côté d'Alain, qui a lui-même passé devant son ordinateur plus de temps en un an que pendant les dix années précédentes, nous étions quatre filles à la maison !

N'ayant pas ou très peu d'objets ou de meubles personnels, puisque nous avions loué la maison meublée, nos ordinateurs, téléphones mobiles, MP3 sont

---

1. Sur les 14,25 millions d'abonnés au haut débit en France, 95 % le sont *via* l'ADSL (13,55 millions). Chiffres ARCEP, septembre 2007.

ainsi devenus petit à petit les compagnons précieux de notre autonomie, de notre intimité et de nos retrouvailles avec la France. Tout en étant de formidables instruments d'ouverture sur le pays que nous découvrions, et de lien avec les nouveaux visages rencontrés. Il n'y eut pas beaucoup de jour où nous ne rentrions à la maison sans une nouvelle adresse courriel, promesse de futurs moments conviviaux ou l'URL d'un site proposant des infos sur le mode de vie des Inuits, les lieux culturels branchés de Montréal ou la meilleure façon de préparer nos prochaines excursions canadiennes.

Mais la « numérisation » de notre vie est allée au-delà de la pratique quotidienne de ces outils. Je crois que nous avons ressenti plus fortement ce double effacement de l'espace et du temps qui accompagne l'usage du numérique.

Et pourtant, quel paradoxe ! Jamais nous n'avons autant pris conscience du temps et de l'espace que là-bas, dans ce pays immense, où l'on peut rouler des heures en voyant le même paysage de plaines, de lacs ou de forêts, et où l'on avait l'impression – bien réelle ! – d'avoir mis des milliers de kilomètres entre la France et nous.

Mais, quand Alain répondait à son blog, qu'il soit à Paris, Bordeaux ou Montréal ne changeait rien pour ses correspondants qui le savaient juste devant son ordinateur, en dehors de toute considération géographique. C'était à lui qu'ils écrivaient, ce n'était ni à Paris, ni à Bordeaux, ni à Montréal qu'ils envoyaient leurs messages. Certes, c'était déjà le cas avant le Canada, mais la disparition de l'adresse postale, de toute référence à un lieu donné, qu'a entraînée l'utilisation du courrier électronique m'est apparue plus flagrante là-bas !

De Hong Kong à New York, en passant par Dehli ou Vancouver, dans cet espace virtuel numérique, les distances sont abolies, tout comme le temps. Quand Alain postait un texte tard dans la soirée, les commentaires arrivaient plus vite de France – où l'on était encore en plein après-midi – que du Canada où les internautes attendaient le lendemain matin pour répondre ! Les repères espace/temps étaient brouillés.

Parfois, j'avais du mal à m'y retrouver. Pendant cette parenthèse canadienne, j'ai sans doute accordé à chaque jour, chaque instant que nous vivions, plus de valeur, de densité, presque de longueur, qu'en France où les jours et les mois filaient, sans rien pour les ralentir ou pour les arrêter. Mais ma vie numérique faisait tout le contraire, multipliant la rapidité des échanges par mails, l'instantanéité des téléchargements, la fugacité des informations. La durée, comme l'espace, était écrasée.

Aurions-nous pu vivre sans Videotron, notre câblo-opérateur, qui allait devenir, au même titre que l'épicier Cinq Saisons, le boulanger Premières Moissons ou le quincaillier Rona, l'un des compagnons de notre vie canadienne ? Évidemment oui, sans hésitation ! Mais la vie aurait sans doute été beaucoup moins facile.

Comment aurions-nous vécu cette expatriation quinze ans auparavant, sans ces moyens numériques à notre disposition ? L'aventure aurait sans doute été très différente. Nous aurions dépensé des fortunes en téléphone, au lieu d'appeler gratuitement sur Internet. Nous aurions attendu avec impatience le facteur apportant le courrier venant de France, au lieu d'envoyer et de recevoir quinze courriels par jour. Nous aurions été plus éloignés de l'actualité française, dont nous aurions picoré des bribes ici ou là dans des journaux ou magazines ayant traversé l'Atlantique, au lieu d'être branchés sur Google Actu ou le site d'informations canadien Bourque.com. Nous serions allés au cinéma un peu au hasard, en feuilletant le journal local, sans visionner auparavant les bandes annonces sur Internet ni repérer les adresses et horaires des séances. Au bout du compte, nous aurions été moins assistés, moins informés, moins connectés, moins reliés. Mais moins heureux pour autant ? Certainement pas !

En fait, en cette année scolaire et québécoise 2005-2006, nous avons eu la chance d'avoir à notre portée les outils numériques nécessaires, mais certainement pas suffisants, à notre bien-être, à ce moment-là et à cet endroit-là.

Et la chance surtout de découvrir, en y vivant une année entière, un autre pays et une autre culture, ce que nous n'avions jamais pensé faire auparavant.

Ni il y a quinze ans, avant la société numérique ou l'âge de la communication, ni même il y a trente ans !

À l'époque, bien à l'abri dans mon cocon familial et provincial, jamais, en dehors des grandes vacances, je ne me serais aventurée au-delà des frontières de mon pays.

Je suis née dans les années soixante et j'ai donc eu, sans le savoir, une enfance et une adolescence analogiques.

Lorsque j'avais dix ans, il n'y avait qu'un téléphone à la maison, un gros téléphone en bakélite noir à cadran, remplacé quelques années plus tard par un appareil gris à touches, posé sur le bureau de papa. Quand, par hasard, il sonnait pour moi, ce qui était très rare, je restais debout à parler à toute vitesse de peur qu'on me rappelle que le téléphone, « c'est fait pour prévenir de quelque chose d'important, pas pour bavarder ! ».

Ma sœur aînée avait un électrophone sur lequel on écoutait des disques, des 33 ou 45 tours. J'en avais une dizaine, soigneusement choisis dans les bacs chez le disquaire, dont le fameux *Sag Warum*, que j'ai passé en boucle pendant plus d'une année. Il m'avait pourtant valu la seule colle de ma scolarité pour avoir quitté l'école en cachette à l'heure de la cantine. Je voulais faire écouter à une amie ce slow mythique et prometteur. Pas question à l'époque de le télécharger sur mon *ipod*, de le lui faire écouter pendant la récré et de l'effacer ensuite d'un clic. Il fallait le mériter et prendre des risques ! Mais plus de trente ans plus tard, je m'en souviens sans doute davantage que si je l'avais simplement et banalement *downloadé*. Je m'initiais à la musique classique avec maman pendant les séances de repassage dans sa chambre en fin d'après-midi. Je me souviens de la précaution avec laquelle elle posait le bras du tourne-disque sur les concertos Brandebourgeois de Bach, les *Quatre saisons* de Vivaldi ou les concertos pour piano de Rachmaninov.

Adolescente puis jeune adulte, j'écoutais mes morceaux préférés, les Beatles ou Chopin, sur mon Walkman Sony et quand j'étais étudiante à la fac, j'attendais tous les soirs à 19 heures, le hit parade d'*Europe 1* sur mon transistor gris à gros boutons qui grésillait quand l'antenne ne se tenait pas droite.

Je me souviens aussi des virées en voiture dans la vieille Peugeot décapotable d'une de mes amies. On écoutait des cassettes sur un magnétophone antique et solennel, posé sur mes genoux pour faire office d'auto-radio.

La télévision n'avait que deux chaînes quand je suis née. La troisième est arrivée, puis la couleur. Tous les soirs avant d'aller au lit, nous regardions *Bonne nuit les petits* ou *Le manège enchanté*. *Desesperate housewifes* ou *Sex and the city* n'existaient pas encore. Mes séries télévisées portaient des noms d'animaux, *Flipper le Dauphin* ou *Skippy le Kangourou*. Jean-Claude Drouot et André Lawrence (alias Thierry la fronde et Thibault) étaient mes héros. *Ma sorcière bien aimée* ou *la Dame de Monsoreau*, mes héroïnes. Le samedi après-midi, sur la une je crois, la télé proposait une chose révolutionnaire. Les jeunes téléspectateurs pouvaient choisir (*via* le téléphone, ce qui n'était pas dans les habitudes de la famille) entre deux programmes, celui qu'ils préféraient. Le dimanche après-midi, après l'émission *Le petit rapporteur*, la deux proposait un film et la une, un autre vers cinq heures. Deux sont restés gravés dans ma mémoire : *Caravane sous le soleil*, un western cruel où les héros étaient ligotés dans le désert par les méchants et livrés en pâture aux vautours, et *Mandy*, l'histoire d'une petite fille sourde et muette qui m'avait fait pleurer à gros sanglots. Pendant les vacances scolaires, il y avait de vrais moments de partage en famille devant la télévision, la seule et unique de la maison où nous regardions ensemble des séries comme *Les gens de Mogador* ou *Le comte de Montecristo*... La séance de télé, tout comme celle, beaucoup plus rare et solennelle, de projection des films familiaux en huit millimètres qui se cassaient souvent sur le projecteur ronflant, était presque un rite. Une fois le choix du film arrêté, souvent à l'aide de *Télé 7 jours* (maman ne s'est abonnée à *Télérama* que plus tard), toute la famille s'installait dans les fauteuils et le canapé. L'un d'entre nous se levait pour aller appuyer sur le bouton puis revenait s'asseoir car il n'y avait évidemment pas de télécommande dans la pièce. La généralisation de celle-ci date, paraît-il, des années 1980 : il n'y avait donc pas de zapping frénétique pour choisir entre un nombre de chaînes de toute façon inférieur aux doigts d'une main. La speakerine annonçait le programme de la soirée : Denise Fabre ou Evelyne Déliat sont deux noms qui me reviennent à l'esprit, mais il y en avait bien d'autres. On regardait, ou plutôt on subissait la pub qui existait déjà mais que l'on ne pouvait pas zapper et puis c'était parti pour une à deux heures de spectacle... C'était ce qu'un sociologue allait appeler plus tard « la télévision cérémonielle[1]... »

Pas de télécommande, pas de magnétoscope non plus, encore moins de disque dur ! Je me souviens de mon désespoir, le mot n'est pas trop fort, le soir où il m'avait fallu interrompre le feuilleton *Paul et Virginie* pour aller dîner chez mes grands-parents à l'autre bout de la ville ! Ma séance était bel et bien perdue à jamais ! J'étais loin de penser que quelques années plus tard, le numérique permettrait à chacun de fabriquer ses programmes à visionner sur l'écran de son choix.

Il y avait en tout et pour tout deux cinémas en ville, l'un d'Arts et d'essais, *L'Eden*, et l'autre grand public, *Le Palace*. Je me souviens des films de Bergman comme *Le septième sceau* dans le premier et des grands Walt Disney comme *Le livre de la Jungle* dans le second, et surtout des esquimaux à l'entracte. Dans ma mémoire, tous ces films ou

---

1. *La télévision cérémonielle* : Anthropologie et histoire en direct, Dayan/Katz.

musiques sont indissociables de lieux et de dates que je n'avais pas choisis, mais que la vie m'imposait, sans que je m'en plaigne le moins du monde... C'était le soir, dans le salon, avant d'aller au lit pour *Pimprenelle* ou *Nicolas*, et dans la chambre de ma sœur pour *L'été indien* de Joe Dassin. Un espace, un temps et un plaisir... L'unique distraction à l'époque qui me laissait un véritable espace de liberté était la lecture, puisque je pouvais faire voyager mes livres partout, leur faire quitter le domicile familial et les emporter sous les tilleuls l'été en Dordogne ou dans les rochers sur la plage en Normandie. Pourtant là aussi, chacune de mes lectures d'enfant, qui constituaient l'essentiel de mes loisirs, ma vraie source d'évasion, est restée liée à un lieu et un jour. Je me souviens des livres Rouge et Or empruntés à la Bibliothèque pour Tous dont maman s'occupait activement, notamment d'un certain *Sylvia et Bonnie au pays des loups* qu'elle avait fini par m'acheter au bout de dix emprunts ! Et puis des collections entières de Bibliothèque Rose et Verte dévorées à un rythme soutenu, des *Club des Cinq* aux *Alice*, en passant par *Les Sœurs Parker*... Je me souviens même du toucher des pages un peu rêches, comme les draps du lit dans lesquels je lisais sous de gros édredons avant l'arrivée des couettes et de mes passions nouvelles pour Albert Cohen ou Stephan Zweig.

De déménagement en déménagement, d'ancienne cave en nouveau grenier, d'étagères de chambre d'enfant en cartons d'étudiante ou garage d'adulte, tous ces volumes aux couvertures passées ont accompagné les changements de ma vie. Un jour sans doute, les garde-meubles seront trop petits alors que les mémoires des disques durs sont elles infinies... Et pourtant ! Tremblerais-je demain de la même émotion en cliquant sur le site d'une gigantesque bibliothèque numérique comme je le fais aujourd'hui en feuilletant les pages poussiéreuses et parfumées de mes livres d'enfants ? Oui, après tout, certainement, d'un tremblement différent devant les possibilités illimitées de ces nouvelles machines ! Foin de nostalgie ! Avoir aujourd'hui à portée de clic, tous les contenus souhaités quand je veux et où je veux, est un réel progrès ! Tout comme pouvoir dialoguer en temps réel avec des amis dispersés aux quatre coins du monde ou parfois rencontrés grâce à l'Internet, et retrouver sur le web, devenu encyclopédie universelle et vivante, les références multiples de mes passions passées, présentes et à venir...

Les futures générations se trouveront d'autres repères que les nôtres... Elles bâtiront avec d'autres matériaux leurs souvenirs de jeunesse. À elles désormais, grâce à leurs outils nomades et numériques, de se jouer du temps et de l'espace... Elles conjugueront l'attente, l'espoir et le désir avec d'autres plaisirs... Elles partageront, *surferont, cliqueront, téléchargeront, blogueront, wikipedront, facebookront, blacberriront, iphoneront, ipoderont* et sans doute riront, pleureront et aimeront aussi bien que nous !

À l'age adulte, lors de mon premier travail de journaliste, je tapais mes papiers sur une bonne vieille machine à écrire. Les infos arrivaient dans la grande salle de rédaction de la rue Hérold sur un télescripteur et quelqu'un découpait les dépêches AFP et Reuter à la main pour les apporter aux différents services. Je me souviens de la finesse du papier, comme du papier de soie, que nous collions sur des feuilles apportées ensuite au secrétariat de rédaction pour réaliser des brèves.

Il m'a fallu attendre 1987 – je venais de changer de journal – pour passer à l'ordinateur. Chacun des journalistes de la rédaction avait droit, dans notre bureau paysager, à un gros terminal d'ordinateur. Nous partions en reportage avec un petit appareil appelé Tandy, avec lequel nous transmettions nos papiers par la ligne téléphonique. Le système « plantait » une fois sur deux et je préférais de beaucoup avoir au bout du fil la voix rassurante de la sténo à qui nous dictions nos papiers en échangeant quelques propos badins sur le lieu du reportage, le temps qu'il faisait et l'ambiance... À l'époque, les journalistes de radio avaient encore leurs lourds magnétophones analogiques « Nagra ». Je les voyais couper et coller leur bande pour monter leur reportage.

En 1993, quand j'ai quitté la rédaction pour suivre Alain au Quai d'Orsay, j'avais à peine entendu parler d'Internet, qui existait déjà Outre-Atlantique depuis quelques années...

C'est à Matignon que je m'y suis initiée, en 1995, avec quelques mordus de l'époque (tous des hommes !) qui ont senti que cette nouvelle révolution allait me passionner. Bien évidemment, je n'avais pas encore de téléphone portable. Mon premier remonte à 1997. J'en avais aperçu quelques gros spécimens aux États-Unis lors d'un reportage. En France, certains privilégiés possédaient un téléphone dans leur voiture depuis plusieurs années déjà. Lorsque vous entendiez « Radiocom 2000 ne quittez pas, un correspondant désire vous parler », c'était signe que quelqu'un d'important désirait vous joindre de sa voiture, grand patron, star du showbiz ou ministre ! Nous étions loin des 57 millions de téléphones mobiles français d'aujourd'hui, 1 milliard dans le monde en 2007 et 3 fois plus prévus pour 2010 !

En 1993 ou 1994, quand Alain, alors ministre des Affaires étrangères partait en déplacement à l'étranger, son équipe avait toujours une sorte de mallette d'agent secret avec un téléphone par satellite que l'on sortait pour les communications dites « sensibles ». Quand je pense que les présidents de la République se promènent aujourd'hui aux quatre coins du monde pendus à leur portable !

Pendant ce temps, en Normandie, mes parents avaient, comme des millions de Français, adopté le Minitel, cette invention française qui, du fait de son succès, a sans doute ralenti le développement de l'internet bas-débit en France. Ils avaient acheté un deuxième téléviseur et s'étaient abonnés à Canal+ pour les matchs de foot et les films de cinéma. Maman enregistrait sur un magnétoscope des films et dessins animés pour ses petits-enfants et papa regardait, grâce à une nouvelle antenne, les chaînes de télévision britanniques dont la réception était rendue quasi-parfaite par la proximité des îles anglo-normandes. Mais de numérique, point. Il n'était pas question de s'abonner au câble et au satellite, trop compliqué et inutile disaient-ils. J'ai moi-même tardé à me numériser, puisque ma première expérience du câble remonte à 1997 à Paris et mon premier abonnement à Canal Satellite un peu plus tard à Bordeaux !

Maman nous a quittés en juin 2006, l'année du Canada. Passionnée de lecture, de cinéma et de musique, jusqu'au dernier moment la nuit pendant ses insomnies, elle écoutait France Musique sur une minuscule radio que nous lui avions ramenée d'un voyage à Hong Kong. La journée, quand la maladie lui laissait un peu de répit, elle préférait lire encore et toujours, de la prose ou de la poésie, des classiques français ou de la littérature étrangère. Elle n'avait pas beaucoup voyagé, mais grâce à son immense culture livresque, elle connaissait tous les pays, toutes les époques, et tant de personnages...

Mais elle ne s'était pas aventurée sur le continent internet. Non pas parce qu'il s'agissait d'un nouvel outil trop technique. C'était elle qui faisait fonctionner à merveille le magnétoscope ou la chaîne stéréo. Poussée par ses enfants, elle était même allée faire un stage de formation informatique avec papa. C'était autre chose qui la retenait. Comme si elle sentait que la sale maladie qui la rongeait ne lui laisserait pas le temps d'en profiter. En revanche, elle avait encouragé papa à s'équiper d'un ordinateur avec l'Internet et le haut-débit, sachant que lorsqu'elle ne serait plus là, cela lui permettrait de communiquer avec ses enfants et petits-enfants, de se tenir au courant de l'actualité, et de regarder tourner à l'infini sur l'écran de son PC les centaines de photos de bonheur familial.

Les derniers jours, elle lisait encore quelques vers de Rimbaud, Verlaine ou Baudelaire mais n'allumait plus la télévision. Elle préférait aller observer quelques instants la mer et les dunes qu'elle aimait tant et, à nouveau allongée sur son lit, fermer les yeux et regarder se dérouler dans sa mémoire les belles images de la journée...

2.

La rencontre des femmes avec le numérique

Ma dernière conversation avec maman remonte au mercredi 14 juin 2006, quarante-huit heures avant sa disparition. Je m'apprêtais à conduire Clara à l'école, il devait être autour de 8 heures à Montréal, c'était le début de l'après-midi en France. Clara voulait annoncer à sa grand-mère qu'elle jouerait le soir dans le spectacle de fin d'année, un rôle de garçon dans *L'Étoile Noire*. J'en profitais pour lui raconter que je devais animer une conférence chez une amie qui avait réuni une trentaine de femmes qui souhaitaient que je leur parle de mon sujet d'étude favori : le numérique. Comment apprivoiser cette bête curieuse apparue en Amérique puis en Europe il y a quelques années, et dont il fallait percer les mystères si on voulait la maîtriser, échapper à ses dangers et en tirer le meilleur parti ? Certaines faisaient du numérique comme M. Jourdain de la prose, toutes en avaient une vision et une expérience très diverses. Le débat s'annonçait passionnant entre les enthousiastes et les inquiètes, les utilisatrices chevronnées et les novices, les professionnelles convaincues et les réticentes idéologiques ! Au bout du fil, maman s'intéressait, curieuse, comme à chaque fois. Je la sentais un peu faible mais sans plus et lui rappelais que comme prévu, je viendrai la voir en France la semaine suivante.

J'avais ensuite laissé Clara à l'école, puis fait un long jogging dans les cinq parcs qui bordaient notre maison d'Outremont en m'interrogeant sur ce que j'allais dire quelques heures plus tard pour ouvrir la discussion. Faudrait-il expliquer en deux mots en quoi consistait la numérisation sur un plan technique ? J'en connaissais par cœur une définition aussi précise que déshumanisée : « Dans les systèmes traditionnels – dits analogiques – les signaux (radio, télévisions, etc.) sont véhiculés sous la forme d'ondes électriques continues. Avec la numérisation, ces signaux sont codés comme des suites de nombres, eux-mêmes souvent représentés en système binaire par des groupes de 0 et de 1 ».

Ou serait-il préférable de replacer d'emblée la révolution numérique dans le contexte plus large des trois autres révolutions qui bouleversaient notre société ? La révolution économique, engendrée par les nouveaux défis de la mondialisation, puis la révolution génétique, qui ouvre des perspectives d'espoir mais soulève aussi des craintes en matière de manipulation du vivant et enfin la révolution écologique, qui place aujourd'hui au premier plan les grands enjeux de survie de notre planète.

Au troisième tour de parc, je décidais plutôt d'ouvrir la discussion en leur racontant trois saynètes auxquelles j'avais assisté et qui me semblaient particulièrement évocatrices de cette révolution numérique.

La première m'avait enthousiasmée. Il faisait beau sur le campus de Princeton, les étudiants en shorts et bermudas étaient assis dehors, à l'ombre des grands arbres du parc. Plusieurs d'entre eux avaient posé leur *laptop*[1] sur leurs genoux et étaient en train de travailler le plus sérieusement du monde, dans une ambiance mi-bucolique, mi-numérique...

La seconde m'avait amusée : à Central Park, nous nous promenions en famille. Tout à coup, près de la statue de bronze de Lewis Caroll, nous avions vu un couple d'une vingtaine d'années se lançant dans une samba endiablée. Curieusement, nous n'entendions aucune musique, et cette danse dans le vide semblait un peu étrange...Jusqu'à ce que je remarque le fil qui reliait chacun d'entre eux à un petit ipod blanc.

La troisième m'avait profondément déplu, à Paris, à la terrasse d'un café, à côté de la table où j'attendais Alain. Deux hommes, genre hommes d'affaires un peu tape à l'œil, installés à la même table étaient en train *de* parler, mais sans... *se* par-

---

1. Petit ordinateur portable.

ler ! Intriguée, je les observais avec attention. Leurs lèvres bougeaient et du son en sortait. Mais leur dialogue semblait désaccordé et leurs regards ne se croisaient pas. J'aperçus soudain dans l'oreille de chacun une petite oreillette reliée par un fil à un téléphone mobile posé sur la table pour l'un et dans la poche pour l'autre, ce qui leur permettait de communiquer avec leurs interlocuteurs lointains en donnant l'impression de ne pas voir la personne qui était assise en face d'eux à moins de trente centimètres !

Ces trois situations me semblaient révélatrices de ce que les nouvelles technologies numériques peuvent apporter de meilleur et de pire à notre civilisation.

Le wifi et l'Internet permettaient à de jeunes étudiants de faire des recherches et de travailler en plein air... La bibliothèque infinie de savoirs que constitue le *world wide web* est une opportunité extraordinaire. L'explosion du haut-débit et les possibilités technologiques offertes par le wifi font de nous désormais des êtres nomades, et ce nomadisme est allié à la possibilité d'envoyer et de partager des vidéos... L'ipod offrait à ces jeunes la possibilité de vivre en nomade et dans leur bulle leur passion, avec une qualité musicale excellente sans casser les oreilles des voisins... Là encore le progrès technique leur offrait des capacités infinies de stockage de musique certes, mais aussi d'images et donc de souvenirs, d'émotions.

Quant aux oreillettes des portables des deux hommes, elles leur conféraient un aspect totalement surréaliste et ridicule, faisant disparaître la magie de la mobilité communicatrice sous l'arrogance égoïste d'une pseudo modernité.

Cela me semblait une bonne façon d'ouvrir la discussion, convaincue que chaque femme présente aurait des anecdotes similaires ou différentes à faire partager. Songez, leur dirais-je ensuite, qu'en trente ans à peine, tout est allé de plus en plus vite, beaucoup plus vite que les évolutions techniques du passé. En trente ans, parce que c'est à peu près à cette date que commence, avec le rapport Nora-Minc[1], l'ère de l'informatisation de la société. Après, tout va s'enchaîner... S'il a fallu cinq cents ans entre l'invention de l'imprimerie et la première imprimante personnelle, il n'en a fallu que cinquante entre le premier téléphone et le téléphone à domicile ; trente entre le premier ordinateur et le PC à la maison ; vingt-cinq entre le 1er jeu vidéo et le moment où le chiffre d'affaires de l'industrie du jeu vidéo a dépassé celui du box-office mondial du cinéma ; quinze entre l'invention de l'Internet à l'université et le bas débit chez les particuliers ; dix entre les premiers téléphones mobiles et les mobiles 3G d'aujourd'hui. Et quarante mois entre le 2e et le 3e milliard d'abonnés à la téléphonie mobile !

---

1. « L'informatisation de la société », Rapport d'état de Simon Nora/ Alain Minc, Documentation française, 1978.

Cette accélération du temps est d'autant plus impressionnante qu'elle se combine avec une multiplication des outils numériques : du téléphone mobile au dernier ipod en passant par les blackberry ou la télévision haute définition, outils qui se marient entre eux par la vertu de la convergence. On regarde la télévision sur son téléphone mobile ; on téléphone *via* son ordinateur ; on écoute des podcast sur son ipod ; on se connecte à l'Internet avec sa console de jeu, on consulte des guides de voyages ou son journal préféré sur des *readers électroniques*... La moitié des outils actuels va devenir rapidement obsolète : de jeunes génies californiens ou français en concoctent d'autres au fond de leurs garages, en fantasmant sur leurs premières levées de fond !

Comme prévu, la discussion s'est vite engagée entre nous, aussi riche que le délicieux buffet préparé par notre hôtesse pour clore notre rencontre ! J'apprendrai d'ailleurs, au fil de mes rencontres digitales, le lien croustillant qui peut exister entre la cuisine et le numérique...

Au-delà de leurs expériences personnelles, ce qui me frappait, c'était l'intérêt, la curiosité, dont elles faisaient preuve pour cet univers numérique et le rôle que les femmes pouvaient y jouer. Leurs objectifs, me racontèrent-elles, quand elles voyageaient sur la toile, étaient avant tout relationnels, et leurs préoccupations à la fois féminines et universelles, tournées vers la simplification des multiples tâches de leur quotidien et la préparation du meilleur avenir possible pour leurs enfants.

Leur vision de cette révolution était beaucoup plus pragmatique que technophile. Elles se retrouvaient toutes pour penser que loin du manichéisme classique, diabolisation ou angélisation, ce qu'il fallait à cet univers numérique, c'était l'humaniser. Et le préparer pour les nouvelles générations, qui naîtraient avec une clé USB autour du cou et un téléphone mobile en guise de hochet.

Car elles étaient toutes conscientes que, sauf retour en arrière ou grand bouleversement, chaque génération future serait plus numérique que la précédente.

Était-ce parce qu'elles étaient des femmes, ou bien parce que c'étaient elles ? La réponse n'avait finalement pas beaucoup d'importance, mais je décidais, à l'issue de cette première rencontre, de poursuivre ma réflexion sur le numérique à travers le regard des femmes et en les regardant ! À travers leurs inquiétudes et leurs espérances dans ce nouveau monde, leurs combats et leurs projets de vie, confrontés à cette nouvelle frontière. En racontant leurs histoires et leurs illusions, et en mettant tout simplement un peu de chair autour de tous ces *octets* !

3.

L'île de la transmission

Apprivoiser l'univers numérique, pour comprendre, partager, et transmettre. Les femmes ont très vite senti qu'il s'agissait du défi essentiel des années à venir. Sans doute ont-elles perçu aussi le rôle fondamental qu'elles allaient pouvoir y jouer. Au côté des hommes, avec eux, avons-nous dit plus haut. Et avec leurs différences. Celle d'abord de donner la vie. Et puis leur façon particulière de transmettre, d'éduquer, parfois seules, les enfants de cette génération numérique. Leur expérience enfin des métiers de la formation et de l'éducation, dans lesquels elle sont, pour de multiples raisons, plus présentes que les hommes.

À la fin de ma première réunion à Montréal, l'essentiel des questions avaient porté sur ce sujet, soit parce que les participantes étaient inquiètes pour leurs enfants, soit parce qu'elles avaient envie d'être les actrices de cette transmission. Au fil de mon questionnaire, le souci de la formation était revenu comme un *leitmotiv*, même si les dimensions ludiques, psychologiques, économiques ou sociales étaient également très présentes.

C'est pour ces raisons que j'ai choisi de commencer cette chronique digitale sur l'île de la transmission et de la formation.

Et c'est à un homme, un américain, Nicholas Negroponte, que je voudrais d'abord consacrer quelques lignes. Pas seulement parce qu'il est l'auteur d'un livre précurseur : *L'homme numérique* (*Being digital*) paru en 1995 et qui a fait le tour du monde[1]. Ni parce que dix ans auparavant, il a créé à Boston le Media Lab du MIT, à la pointe de la recherche technologique. Mais parce que, convaincu que le développement passe par la maîtrise des nouvelles technologies, il a eu l'idée de concevoir un ordinateur à bas coût pour tous les enfants du monde et surtout ceux des pays en voie de développement. L'objectif initial du projet OLPC (*One Laptop Per Child*) était de ne pas dépasser les 100 dollars, mais au fil des mois le budget a évolué et c'est finalement à environ 200 dollars que devrait revenir cet ordinateur, entré en production à l'automne dernier et d'ores et déjà commandé par l'Uruguay et la Bolivie. Coïncidence : le soir où je lis un article[2] de *L'Express*

---

1. Nicholas Negroponte, *L'homme numérique*, Robert Laffont.
2. *L'Express*, 2 août 2007, « Ordinateur à bas prix, c'est parti », Guillaume Grallet.

consacré à Negroponte, je vais retrouver une femme remarquable, américaine elle aussi, qui partage à sa façon le même combat en faveur de l'éducation au numérique des jeunes.

***

Elle a le regard lumineux et un timbre de voix envoûtant. Sa finesse et sa distinction rivalisent avec celles de son mari, ancien et illustre ambassadeur américain à Paris. Mais Elizabeth n'a rien à envier à ce dernier en matière d'énergie au service de projets humanistes, éducatifs et culturels.

Lorsque les technologies numériques commencent à faire leur apparition outre-Atlantique, Elizabeth y trouve l'opportunité de confronter ses compétences en matière d'éducation à deux fortes convictions. La première semble être une évidence alors qu'elle est au contraire un vrai défi : pour bien enseigner, encore faut-il avoir bien appris. Apprendre à apprendre, apprendre à penser afin de pouvoir transmettre ensuite aux enfants les compétences acquises. Les nouvelles technologies peuvent aider à relever ce défi exaltant, puisqu'elles sont devenues les outils d'expression majeurs des enfants de ce siècle. La seconde s'inscrit dans la suite logique des actions qu'elle a entreprises auparavant. Plus la place des technologies va grandir dans la vie de tous, plus le fossé numérique risque de se creuser et de s'ajouter au fossé culturel et social qui sépare déjà les enfants favorisés des autres. Épauler des enfants de quartiers difficiles, Elizabeth l'a déjà fait en sponsorisant la fondation *I have a dream*, fondée par Eugène Lang en 1981. Elle avait ainsi parrainé 57 adolescents tout au long de leurs six années d'école et quatre années d'université.

Forte de cette double conviction, Elizabeth crée en 1994 à New York *Teaching Matters*[1], qui a pour objet de former les professeurs, non seulement à l'apprentissage des nouvelles technologies mais aussi à l'utilisation de programmes scolaires intégrant l'usage des outils numériques. *Teaching matters* s'adresse cette fois à toutes les écoles de New York. À chaque stade de l'aventure, Elizabeth va s'impliquer personnellement dans la recherche des partenaires et dans l'élaboration des programmes et des événements de l'association. Depuis quelques années, tout en gardant la présidence de *Teaching Matters*, elle en a confié la direction opérationnelle à une jeune femme pétillante, Lynette, qui, avec une équipe largement féminine, a adopté une démarche pragmatique. Les compétences en matière de nouvelles technologies étant la chose du monde la moins bien partagée, le chantier en matière de formation des enseignants et des directeurs d'établissement est immense et nécessite du sur-mesure. Les équipes de

---

1. http://www.teachingmatters.org

Teaching Matters se rendent dans les écoles afin d'identifier les besoins auprès des professeurs et non leur imposer quoi que ce soit, pour pouvoir ensuite les former. *Teaching Matters* propose plusieurs ateliers, dont certains sont directement liés à la pratique des technologies, tandis que d'autres touchent des sujets plus académiques, comme l'écriture ou les études sociales, ou encore la démocratie dans la Grèce Antique. Dans ce dernier par exemple, les élèves, grâce à l'utilisation des technologies numériques, vont pouvoir participer à des débats virtuels sur la construction du Parthénon, ou encore la guerre du Péloponnèse !

Elizabeth est aujourd'hui fière du bilan de sa fondation qui, aidée par de nombreux donateurs, a d'ores et déjà délivré ses services à plus de 500 écoles accueillant des enfants de 12 à 15 ans. « Apprendre à éveiller les professeurs à éveiller les élèves. » Tel reste le credo d'Elizabeth, plus que jamais convaincue que les technologies numériques ne sont que des outils, ô combien précieux, d'accompagnement du savoir, qui requièrent des hommes et des femmes pour en transmettre l'usage.

***

Quand elle a débarqué dans son premier lycée à la rentrée 2002, toute fraîche émoulue de l'agrégation d'allemand à 22 ans, ses grands yeux vert d'eau retranchés derrière une longue barrière de cils châtain clair, Stéphanie a eu un instant de panique. Comment faire pour capter l'attention de ces trente gaillards de seconde et première scientifique, pas forcément passionnés par la langue de Goethe ? Comment éviter de faire tourner ses deux heures hebdomadaires de LV2 (Langue Vivante 2) au cauchemar ?

Sa première tentative pour leur faire écouter un texte pré-enregistré sur son lecteur cassette a vite tourné court. La salle résonnait, le son était catastrophique, le magnétophone compliqué à faire fonctionner. Il fallait sans arrêt « avancer », « arrêter », « revenir en arrière ». Bref, les élèves ont très vite décroché. Pas question de se décourager pour autant, ni d'aller à l'école à reculons. Il fallait trouver autre chose pour que les élèves retrouvent le sourire en arrivant au cours d'allemand. Alors elle a l'idée de contacter un ami, Antoine, rencontré l'été lors des fêtes de Bayonne. Un professeur comme elle, mais surtout un as des nouvelles technologies, ce qu'elle-même est alors très loin d'être... Bien sûr, comme toute jeune fille née en 1978, elle appartient à cette génération digitale qui a toujours eu un ordinateur à la maison, mais c'était surtout pour jouer, pas pour travailler, même pendant les années d'hypokhâgne et de khâgne. Son premier ordinateur portable, elle ne l'aura que l'année de sa maîtrise, qu'elle passe en Allemagne, pour rédi-

ger son mémoire sur le roman d'un écrivain allemand contemporain de Freud et pour correspondre
avec sa famille. Mais cela n'ira pas beaucoup plus
loin. Aussi est-ce avec l'enthousiasme des nouveaux
convertis que, sur les recommandations d'Antoine,
elle met ses cours en ligne sur internet, par le biais
de ce que l'on appelle un *environnement numérique
de travail*. Les élèves, auxquels Stéphanie propose
des forums de discussion, sont enthousiastes. Lors
d'une visite du ministre de l'Éducation, c'est à elle
que l'on va demander de faire une démonstration
de l'utilisation « d'outils innovants ». Invitée à la
présentation, je me souviens de ma surprise devant
cette jeune femme à la silhouette d'adolescente,
plantée devant un ordinateur et expliquant d'une
petite voix au ministre, manifestement conquis,
comment l'apprentissage des langues étrangères
pouvait être plus efficace si l'on se servait intelli-
gemment des TIC. L'aventure numérique continue. L'année suivante, la voici au CATICE (Centre
d'Aquitaine pour les Technologies d'Information
et de Communication pour l'Enseignement) où,
tout en améliorant ses connaissances, elle commence à initier les professeurs. Car elle partage les
convictions d'Elisabeth : oui, les nouvelles technologies peuvent être un vrai plus à l'école à condition
qu'elles soient bien utilisées, d'où la nécessité de
former les professeurs.

En reprenant ses cours, elle utilise de nouveaux
outils, distribue des lecteurs MP3 aux élèves à qui
elle a fait écouter des extraits téléchargés en alle-

mand, d'émissions de radios, de télé, de bandes annonces... Là encore, elle fait un tabac ! Et en tire deux leçons.

La première : « Il faut vivre avec les outils de son temps. Les élèves ont tout de suite adhéré puisque c'était leur langage. »

La seconde : « Il ne faut pas basculer et oublier l'autre monde. Moi avec ma formation classique, j'ai toujours fait une partie de mon cours de façon un peu « réactionnaire », au sens noble du terme, sourit-elle, c'est-à-dire avec l'apprentissage de la rigueur. Je leur ai dit : "Je parle le même langage que vous, je vous parle de podcast et de videoblog, il faut que vous parliez aussi le même langage que moi pour que nous puissions nous comprendre et échanger." Je leur parlais de datif, d'accusatif, du locatif... Je suis une amoureuse de la linguistique, et bien, eux, désormais, ils adorent aussi. Ils viennent même me dire merci pour la grammaire ! »

Aujourd'hui, ses élèves ont grandi puisque, depuis la rentrée 2007, elle est professeur à l'université. Et toujours aussi passionnée par les TIC.

La spécificité « numérique » des femmes, elle avait pu en prendre la mesure lorsqu'elle travaillait à la création d'un logiciel européen d'évaluation des compétences en langues vivantes. Elle avait pris conscience que les femmes ont une approche des technologies radicalement différente des hommes : « Les femmes n'ont pas du tout envie de bidouiller. Les hommes sont plus techniques, ils s'occupent de la mise en réseau, de la réparation des réseaux, des connexions. Ils programment, font un peu de code, réparent...Nous, on est plus dans l'utilisation pédagogique des logiciels. » En fait, c'est un peu comme pour les voitures me dira-t-elle plus tard. « Eux, ils s'intéressent au moteur et à la puissance. Nous, ce qu'on veut, c'est aller à destination et trouver une place pour se garer ! »

Sa maman, tout comme beaucoup de femmes de sa génération, a elle aussi franchi le pas numérique. Ce qui a provoqué quelques drôles anecdotes mère-fille, comme celle que Stéphanie a gardé dans un coin de son ordinateur : « J'avais une freebox depuis bientôt deux ans et récemment mes parents en ont fait installer une chez eux. Quelques jours plus tard ma mère me téléphone, d'une voix experte : "Ma chérie, tu paies encore ta facture France Telecom ce n'est pas normal, je suis sûre que tu es en dégroupage total..." Assez surprise qu'elle soit si bien renseignée, mais absorbée par mes multiples activités je réponds distraitement, "oui peut-être...". Le jour même, animée du désir louable de me faire faire des économies, maman fait couper ma ligne téléphonique. Résultat, comme j'étais en dégroupage partiel... j'ai été privée d'Internet pendant trois mois avant de me réabonner et de tout réinstaller ! Du coup j'étais plus souvent chez elle pour utiliser la freebox parentale...Un soir, un peu désolée, elle me tend son ordinateur portable flambant neuf, mais avec sa voix toujours assurée de récente experte en informatique : "Emmène-le chez toi, il a une connection wifi... Je te le prête, tu pourras aller sur Internet". Je l'ai regardée, tout simplement effondrée. Elle : "Ben quoi ?" Alors, j'ai essayé de lui expliquer que comme la borne wifi était chez elle, je n'aurais pas Internet chez moi... Je crois qu'elle était sceptique. Mais au moins, elle ne s'est pas vexée de mon refus ! »

***

Quelques jours après l'une de mes rencontres avec Stéphanie, je retrouvais Oriane, toujours aussi pétillante et pleine d'humour. La belle Oriane, comme disent ceux qui la connaissent depuis les débuts de l'internet en France, est une pionnière à la tête bien faite et bien pleine. Comme plusieurs autres femmes qui jonglent aujourd'hui avec les octets, à l'exemple de Stéphanie, elle a commencé avec les lettres, hypokhâgne et khâgne à Strasbourg. Elle hésite devant l'obstacle du concours car elle ne ressent pas la vocation de professeur. La vie, l'amour, les copains l'emmènent à Paris continuer sa maîtrise de lettres. Elle trouve comme petit boulot d'étudiante un poste de formatrice en informatique ! Sa dernière expérience en la matière remonte presque à son Amstrad de sixième, mais la voilà qui donne des cours de « réseaux et messagerie » à des chefs d'entreprise et des fonctionnaires. « Transmettre au gens, c'est ça qui est important », se souvient-elle aujourd'hui. En 1995, convaincue que le nouveau réseau arrivé en France va être révolutionnaire, elle crée avec deux amis sa première boîte internet. Puis quelques mois plus tard, la deuxième est lancée, qui sera le premier moteur de recherche français Lokace, avec modèle publicitaire à la clé. Elle vendra sa première pub à des Québécois !

Puis ce sera le portail communautaire Caramail, la première messagerie française dont, en femme jeune et non informaticienne, elle va devenir l'emblème. Au bout de trois ans, la petite équipe fête son 10 000ᵉ abonné. Aujourd'hui, elle a revendu l'entreprise qui, après plusieurs rachats, est passée dans le giron de Lycos.

Le jour où nous nous retrouvons toutes les deux, elle est un peu à cheval sur deux aventures : celle des *Lentilles-moins-chères*, qu'elle a montée à nouveau avec ses amis et un partenaire allemand, et celle, entièrement féminine, de Badiliz qui doit démarrer dans quelques mois avec trois complices. Mais la plus excitante des aventures, c'est celle qui grandit dans son ventre. C'est sans doute parce qu'elle va donner bientôt naissance à son premier bébé qu'elle se sent aussi concernée par le défi éducatif : « Le vrai enjeu dans les années qui viennent pour notre société, il n'est pas dans l'innovation technologique, il est dans l'éducation des enfants et dans la compréhension et l'appréhension de ces technologies... D'où le rôle très important de l'école. La vraie fracture, elle se fera entre les enfants qui auront cette capacité à utiliser ces nouvelles technologies et les autres. »

***

En m'envolant quelques jours plus tard pour l'Égypte avec Alain qui allait donner une semaine de cours sur la mondialisation à l'université francophone d'Alexandrie, je n'imaginais pas me trouver si près de mon sujet ! En marge des conférences, les visites des sites archéologiques grecs, du théâtre romain, des catacombes et des anciennes citernes de la ville étaient prévues. Jusque-là, rien de très numérique à l'horizon... C'était compter sans la visite de la nouvelle bibliothèque d'Alexandrie, la Biblioteca Alexandrina, reconstruite sur les ruines d'une des sept merveilles du monde, et inaugurée en octobre 2002. Son directeur, Ismail Serageldin, nous entraîne dans le superbe édifice qui s'étire face à la mer, construit dans une harmonie de verre et de colonnes de cuivre en forme de papyrus. Mais ce qui est encore plus remarquable, c'est la sophistication numérique du lieu, dont la cheville ouvrière s'avère être... une jeune femme. À tout juste 40 ans, Noha est la directrice de l'*International School of Information and Science* (ISIS), aujourd'hui l'un des centres de recherches de la bibliothèque, et l'un des laboratoires digitaux les plus perfectionnés du monde.

Bien sûr, le laboratoire a numérisé des variétés infinies de documents (les 8 000 manuscrits anciens, ainsi que les dizaines de milliers de livres, photos, cartes : en tout plus de 40 000 documents) mais il abrite bien d'autres merveilles. C'est ici, sous la haute garde de Noha, que se trouve depuis 2002 l'un des très rares centres mondiaux de stockage des archives de l'Internet. En fait, le seul site miroir actuel en dehors de l'Amérique (deux autres sont prévus en Europe et en Asie) de l'*internet archive* fondée en avril 1996 à San Francisco par Brewster Kahle. J'ignorais que les pages de millions de sites de l'Internet étaient ainsi archivées depuis 1996. Entre 1996 et 2001, environ 10 milliards de pages web ont été photographiées et enregistrées tous les deux mois environ pour suivre la mise à jour des sites. Au moment de notre visite en février 2007, elles étaient stockées dans de grosses armoires grises, l'équivalent de 200 ordinateurs. Aujourd'hui, elles reposent dans un contenant beaucoup plus puissant : la Petabox, créée par Brewster Kahle, et capable de stocker 1,5 pétabyte (une pétabyte équivaut à million de gigabytes) de données. « Et aujourd'hui, me raconte Noha, que je retrouvais avec joie en octobre 2007 lors de son passage à Paris, c'est plus de 50 milliards de pages web qui ont été archivées entre 2002 et 2006 ! » Et les prochaines Petabox pourront être assemblées sur place, en Égypte. La jeune femme, souriante et élégante, est venue à Paris pour le lancement à l'Unesco du prototype de la future bibliothèque numérique

mondiale, qui aura pour objectif premier d'offrir
sur internet des pans entiers du patrimoine mondial (livres, cartes, manuscrits, gravures, partitions
musicales...) afin de promouvoir la compréhension
et la connaissance entre les pays et les cultures. Il
s'agira aussi d'enrichir l'offre de contenus proposés
aux enseignants, chercheurs et publics du monde
entier pour œuvrer à la réduction de la fameuse
fracture numérique. Un projet initié par la bibliothèque du Congrès américain, avec la participation
du Brésil, de la Russie, des archives égyptiennes et
de la Biblioteca Alexandrina. L'expérience et les
compétences de cette dernière, notamment pour
l'infrastructure technique vont se révéler précieuses
et Noha s'est tout de suite investie dans ce projet.
Comme dans toutes les aventures numériques de
la bibliothèque depuis l'ouverture de celle-ci, il y a
cinq ans aujourd'hui. Et même avant : la jeune
femme se souvient que le docteur Serageldin l'avait
laissé s'adonner à sa passion pour l'informatique
et la transmission des savoirs dès juillet 2001 ! Il
n'y avait alors que six ordinateurs et quatre ingénieurs dans la nouvelle bibliothèque qui compte
aujourd'hui 70 ingénieurs et 1 800 ordinateurs !

Au-delà de sa passion pour l'informatique,
c'est la volonté de faire partager la connaissance
grâce au numérique, et de rendre celui-ci accessible
au plus grand nombre, qui anime Noha depuis le
début.

Après ses études à Alexandrie, où elle obtient
son *master of science*, elle part étudier et travailler

quelques années à Cambridge avant de rentrer en Égypte où elle devient consultante en informatique et professeur à l'université. Aujourd'hui, elle sait qu'il y a énormément de jeunes talents en Égypte, de jeunes gens et jeunes filles qui n'ont pas accès à toutes ces connaissances ou qui, pour certains, préfèrent partir étudier à l'étranger.

Le numérique peut être un formidable moyen de diffusion des savoirs, et des institutions comme la Biblioteca Alexandrina peuvent attirer des jeunes chercheurs égyptiens pour travailler sur différents projets. Notamment celui de la numérisation de l'histoire moderne de l'Égypte, soit les 200 dernières années, de Napoléon à Sadate. Noha est ravie d'accueillir dans son équipe certains de ses anciens étudiants ! Son équipe est d'ailleurs féminine à 54 % et 35 % des ingénieurs sont des femmes. Autre projet qui passionne la jeune femme : le partenariat passé avec l'Académie des sciences, en France, pour créer un site miroir du programme d'enseignement des sciences « La main à la pâte » et accompagner ensuite la formation des professeurs en Égypte. Ou encore le projet de visualisation technologique VISTA[1] qui s'appuie sur les capacités exceptionnelles en matière de stockage, de haut débit, de 3D et de « supercomputer » du laboratoire digital de la bibliothèque, afin de mener des expériences de simulation en environnement

---

1. VISTA : *Virtual Immersive Science and Technology Applications.*

virtuel dans bien des domaines, comme la méde-
cine, l'architecture, la recherche en biotechnologie.

Ce qui réjouit aussi Noha c'est la tenue en
2008 de la prochaine Wikimania (la conférence
internationale de Wikipedia) qui aura lieu à
Alexandrie : c'est sa ville qui a été sélectionnée entre
toutes les villes candidates ! Wikipedia est cette
encyclopédie en ligne dont les articles sont produits
par les internautes. Noha voit là l'occasion de mettre à l'honneur la pratique collaborative du web,
qui offre à chacun la possibilité de participer à la
création de contenus sur internet. Dans le techno
charabia dont je parlais un peu plus haut, on
appelle cela le *User Generated Content* (contenu
généré par les utilisateurs), et c'est l'une des caractéristiques de la deuxième étape du web, baptisé le
WEB 2.O. C'est d'ailleurs dans cet esprit participatif que la Biblioteca Alexandrina va ouvrir une
section destinée au public afin que celui-ci enri-
chisse le patrimoine de la bibliothèque avec ses
propres données. Ce sera pour Noha une façon
supplémentaire de conjuguer numérique, partage
et transmission.

***

Au retour des vacances scolaires, l'école des
filles a eu la bonne idée d'organiser pour les parents
une conférence sur la « parentalité à l'ère du numé-

rique », en donnant la parole à un responsable du pôle media et technologie de l'UNAF[1]. Une majorité de mères, mais aussi quelques pères, sont présents, certains simplement curieux, d'autres réellement inquiets, ou un peu déroutés par le comportement addictif de leurs enfants. La plupart sont à la recherche de quelques clés pour comprendre leur progéniture.

Je retiens quelques phrases essentielles de l'orateur, qui adopte d'emblée un ton pédagogique en expliquant le lien très précoce qui se noue entre les enfants et le monde de l'image puisque, dès le 5e mois in utero, le bébé est capable de percevoir l'environnement sonore, par exemple le son de la télévision regardée par sa mère. À la naissance quand l'enfant aperçoit pour la première fois le visage de son père, celui-ci est « à moitié mangé par la caméra » !

De photos en vidéos, du premier mot au premier pas, les parents font de leur enfant une star. On parle souvent du stade du miroir pour les bébés, autour du 8e mois. Peut-être devrait-on parler aussi du stade de l'écran ? s'interroge l'orateur.

Des écrans, en fait, il y en a pas moins de quatre, et à travers eux le monde entier, qui envahissent la vie des enfants, parfois jusque dans leur chambre à coucher : la télévision, le portable, l'ordinateur et la console de jeux ! Sans compter le grand écran du cinéma. Un quart des enfants de 6

1. Union Nationale des Associations familiales.

à 8 ans ont une télévision dans leur chambre, 80 % des 8-12 ans savent surfer sur internet, 50 % des 13-14 ans ont une console de jeu, plus de 60 % des 8-13 ans ont un téléphone mobile...

L'inquiétude des parents n'a rien de surprenant. « C'est la première fois qu'ils font face à une telle sollicitation de technologies invasives, et la première fois aussi que leurs enfants en savent plus qu'eux ! »

La pédagogie va se révéler essentielle, tant il est vrai que la peur est exacerbée par l'inconnu. L'orateur se veut ensuite rassurant en rappelant que les vraies addictions sont rarissimes et pathologiques. Il faut juste être vigilant, comme on peut l'être par exemple vis à vis de la nourriture. Tout comme d'une diététique alimentaire, l'enfant a besoin d'une diététique médiatique, car à côté des obèses bourrés de chips et de sucre, il y a aussi des *infobèses*, victimes d'une sorte de maltraitance médiatique.

La recette à retenir tient, dit-il, dans la nécessité absolue pour les parents de dialoguer avec les enfants. Et pour *se* comprendre, encore faut-il d'abord comprendre.

4.

L'île des TIC, du glamour et du jeu...

Les disques durs ne remplaceront jamais la vraie mémoire, dont personne n'a encore réussi à percer les secrets...

J'ai toujours été fascinée par la mémoire, que j'imagine comme une immense armoire au fond de notre cerveau. Dans cette armoire, il y aurait des millions de tiroirs fermés à clé avec dans chacun d'entre eux, chaque geste de notre vie, chaque dialogue, chaque objet, chaque sentiment, chaque situation, chaque instant, chaque paysage qui s'y seraient rangés au fur et à mesure.

Les relations entre cette armoire-mémoire et la surface de notre esprit ne sont pas simples. Parfois, quand on veut retrouver un souvenir, il suffit d'ouvrir le bon tiroir et le cliché apparaît, intact ou juste un peu flou, décoloré par le temps. D'autres fois, le tiroir est rouillé et on a beau tourner la clé dans tous les sens, il ne s'ouvre pas. On sait pourtant que le souvenir est là, mais impossible de le ramener à la surface. Et puis à d'autres moments au contraire, un tiroir s'ouvre tout seul et le souvenir remonte, sans même que vous l'ayez cherché.

Dans un de mes tiroirs des années 70 est rangé un magazine dont je n'arrive plus à me souvenir du nom. À l'intérieur il y a une interview de Sylvia Kristel, héroïne du premier film érotique dont j'entendais parler, *Emmanuelle*. La comédienne disait en substance qu'une femme devait toujours avoir dans son sac trois objets : une plaquette de pilule, un tube de rouge à lèvres et une carte bleue. Avec ces trois objets, elle pouvait décider de partir au bout du monde, tout à coup, sans rien d'autre que ce strict nécessaire... Du haut de mes 12 ou 13 ans, j'avais trouvé fascinante cette panoplie de femme moderne et émancipée, féminine et indépendante !

Aujourd'hui, dans le trousseau d'une jeune femme bien dans ses ballerines du XXIᵉ siècle, il faudrait sans doute ajouter trois nouveaux objets : un téléphone portable, un baladeur musical avec oreillettes et une clé USB... qui pourrait d'ailleurs faire aussi office de pendentif ou de rouge à lèvres !

La possibilité de communiquer avec n'importe qui, n'importe où et n'importe quand, la capacité d'emporter partout avec soi toutes les musiques du monde et d'avoir à portée de main ses fichiers personnels sont devenues des priorités aussi importantes que l'indépendance financière, la maîtrise de sa contraception et l'entretien de la séduction... qui restent néanmoins trois valeurs sûres.

Depuis trente ans, non seulement nous sommes entrés de plain-pied dans le monde de l'information et de la communication, mais les outils de ces nouvelles technologies, qui ont fait leurs premiers pas dans des habits masculins plutôt tristounets, commencent aussi à se féminiser !

Les ordinateurs étaient gros et gris, lents et complexes. Petit à petit, ils ont commencé par rétrécir, s'aplatir, s'adoucir, et même se colorer ! En fait, les fabricants ont vite compris que les femmes, premières consommatrices des ménages, étaient responsables des achats, non seulement des écrans plats de télévision, mais aussi des ordinateurs familiaux, destinés à la chambre des enfants, au bureau du mari, au salon et à leur espace personnel à elles. Responsables des achats pour la maisonnée certes, mais aussi et surtout responsables de leur vie professionnelle et personnelle, elles sont devenues très exigeantes sur leur confort numérique. Utilité, simplicité, polyvalence et esthétisme sont vite devenus leurs critères de sélection. Les hommes ne s'y sont pas trompés : « Faites-moi confiance, les femmes ne vont pas sacrifier la qualité pour le style, il revient plutôt aux fabricants d'intégrer le design aux produits de technologie supérieure », résumait assez bien l'un d'entre eux dans une enquête sur le sujet.

Le geste d'achat routinier s'est ainsi peu à peu mué en vrai désir, comme le confirme une étude faite l'an dernier par le réseau de télévision féminin américain Oxygen.[1] Interrogées sur ce qu'elles aimeraient recevoir comme cadeau, 77 % des femmes préfèreraient une télévision à écran plasma à un solitaire en diamant et 86 % un appareil photo numérique plutôt qu'une belle paire de chaussures ! Il faut dire que l'offre suit de très près la demande... Les écrans plats des téléviseurs, les ordinateurs, les téléphones mobiles : rien n'échappe désormais au glamour et à la féminité. Pas une semaine, ou presque, ne s'écoule sans que ne sortent sur le marché de nouveaux appareils ou services dessinés pour les femmes.

Si la performance professionnelle reste le premier critère, les clichés féminins ont la vie dure...ou belle ! Un jour c'est un appareil photo avec une option amincisseur, le lendemain une webcam-miroir, le surlendemain un ordinateur en forme de sac à main, ou la fameuse clé USB rouge à lèvres. Les grandes marques liées à la mode, la voiture, la beauté, comme Prada, Armani ou bien d'autres, s'associent aux constructeurs pour mettre de la couleur et du glamour dans les téléphones mobiles ou les ordinateurs portables qui passent du rose au rouge laqué, sans oublier de revenir au noir éternel ! Alors, exit le blanc ?

---

1. *Women's watch* : *Girls Gone Wired*, juillet 2006.

Au début pourtant, on a beaucoup dit que la couleur des femmes était le blanc, la couleur choisie par Apple pour ses premiers Ipod. D'un blanc « lacté comme le lait maternel » est allé jusqu'à dire, dans le magazine *Psychologies*, le sociologue Pascal Lardellier, qui ajoutait : « Quant à la touche centrale de l'appareil, si agréable à palper, elle rappellerait le mamelon d'un sein... un objet à la forte symbolique sexuelle donc, un bijou de plaisir, revendiqué et décomplexé[1]. »

Diantre ! Au-delà de l'aspect esthétique ou purement utilitaire, les objets numériques ont bien d'autres vocations. Ils peuvent ainsi se transformer en outils écologiques, comme le *power cart,* présenté dans les rues de Brooklyn en septembre dernier par une jeune femme artiste[2], et qui offre, comme les rémouleurs d'antan, la possibilité de recharger manuellement la batterie de son téléphone mobile.

Plus virtuellement, ils peuvent être également de véritables confidents. Certains psys vont jusqu'à les comparer à des objets transitionnels, des sortes de « doudou pour adulte », et je dois dire moi-même que sans cet ordinateur, parfois...

Mais ces objets sont aussi souvent de simples compagnons, de route ou de jogging, comme les MP3 qui accompagnent de plus en plus de coureuses de fond ! Je ne suis d'ailleurs pas la dernière

---

1. *Psychologies*, janvier 2007.
2. http://www.we-make-money-not-art.com/archives/009735.php

à courir en musique lorsque je suis seule, la musique étant parfois le meilleur des coach...

Il est vrai que le baladeur musical (MP3 ou autre ipod) tient une place à part dans la panoplie des objets numériques. Avec sa capacité immense de stockage (un peu comme un ordinateur), c'est une sorte de micro-armoire-mémoire à oreillettes qui peut aussi se transformer... en épaule sur laquelle l'on vient pleurer. C'est encore le magazine *Psychologies* en janvier 2007, qui raconte le cas d'une jeune femme de 35 ans qui avait entretenu une « relation fusionnelle avec son MP3 » l'année où elle a quitté son mari. Dans son MP3, elle avait emprisonné toutes les musiques de son adolescence pour retrouver, en fermant les yeux, un peu de douceur enfantine.

L'usage en est parfois beaucoup plus anodin, simple accessoire de la vie d'une jeune fille d'aujourd'hui... Combien de jours ai-je mis à m'habituer à Montréal au rituel du retour de l'école de ma fille aînée ? À la maison, mon bureau était juste à côté de la porte d'entrée et quand je l'entendais rentrer, je lui lançais un petit : « Coucou, ta journée s'est bien passée ? »

Aucune réponse, le silence, et puis juste le bruit de ses baskets sur les premières marches de l'escalier. Je l'appelais à nouveau : « Ohé, ma chérie ça va ? » Toujours pas de réaction ! Je sortais de mon bureau, un peu inquiète, la rejoignais au milieu de l'escalier pour me rendre compte que sous son écharpe ou sa capuche, il y avait les oreillettes de son ipod qui l'enfermaient dans sa bulle musicale ! Mais heureusement, « tout va bien ! » me criait-elle finalement...

Dans ma petite enquête, je me suis amusée à demander à mes interlocutrices quel serait l'objet numérique de leurs rêves dans les prochaines années. Voici quelques-unes de leurs propositions :
   – Un objet qui enregistre tous mes rendez-vous à la voix, structure mon agenda et me signale les incompatibilités.
   – Un miroir télé-transporteur : je dirais miroir, miroir... emmène-moi à l'école... ou en vacances !
   – Un objet au poignet qui calculera la trajectoire de mes balles de golf afin qu'elles rentrent directement dans le trou au lieu de faire quatre fois le tour du green.
   – Un robot qui conçoive des menus et sache cuisiner !
   – Toutes mes pensées, lorsque je le souhaite, seraient enregistrées automatiquement sur un blackberry minuscule incorporé à ma montre.
   – Un sac à main spécial femme : tout incorporé, pratique et automatisé (rappels vocaux des choses à faire tout au long de la journée, avec alertes – listes de courses en tout genre – GPS – écriture automatique de mails et SMS avec dictée vocale...).
   – J'ai juste envie d'un écran plat parce que c'est beau, d'un GPS pour ne plus me paumer dans Argenteuil, d'une caméra numérique pour partir en transsibérien...

Ces objets-là n'existent peut-être pas encore, mais nous n'en sommes pas loin. Il suffit d'aller sur la toile qui accueille des sites[1] qui regorgent de trouvailles à destination de ce que l'on appelle chez les initiés, les geekettes !

Une geekette, une double geekette même et fière de l'être, j'en ai rencontré une à Paris. Sandrine vous répond avec un franc sourire sous sa tignasse rousse et sa silhouette gourmande : « Oui je suis une *geekette-gameuse* », une GG ! Geekette, cela vient du mot anglais *geek*, réservé plutôt aux hommes accros de high tech, et *gameuse*, le féminin de joueur en anglais !

Moi qui croyais, comme tous les ignares en la matière, que les jeux vidéos étaient réservés aux garçons et plutôt aux adolescents ! Ils représentent au contraire une part extrêmement importante des divertissements culturels : le chiffre d'affaires de l'industrie des jeux vidéos pour l'année 2007 aurait atteint 38 milliards de dollars[2] et la moyenne d'âge des joueurs est plutôt de 29/30 ans. Les grands-parents commenceraient même à s'y mettre, notamment certaines grands-mères qui, paraît-il, raffolent de la Wii[3], avec laquelle elles peuvent jouer au golf avec leurs petits-enfants !

---

1. http://www.technofilles.com
2. Source emarketer.
3. La Wii est le nom de la console Nintendo qui se joue avec une manette, devant son écran de télévision.

Je me souviens d'une présentation passionnante sur le sujet par un maître en la matière, Nicolas Gaume[1] qui répondait à la question : « Pourquoi aime-t-on les jeux vidéos ? » Il avait cité une liste de motivations très intéressantes. On aime les jeux parce que :

— on aime les défis ;

— on aime contrôler son expérience plutôt que de subir ;

— on aime s'évader ;

— on aime expérimenter sans conséquence ;

— on aime rencontrer ;

— c'est une expérience existentielle ;

— c'est l'accès instantané à la virtuosité.

En l'écoutant, je me demandais si toutes ces motivations ne pouvaient pas être aussi féminines que masculines. Sandrine, elle, est bien convaincue de la totale légitimité féminine en la matière, elle dont la vie numérique, m'a-t-elle raconté lors de notre première rencontre, a commencé en 1972 avec Pong. Elle avait 8 ans et avait annoncé à sa grand-mère que si on ne lui offrait pas le premier jeu d'*Atari* pour Noël... elle mourrait ! La grand-mère a bien reçu le message et la petite fille a survécu, les mains sur les gros boutons orange de la boîte noire qui renvoyait d'un mur à l'autre la petite balle Pong.

Bien vite le premier ordinateur *cube mac* fait son entrée dans la maison, grâce à sa mère « qui

---

1. *Citizen Game* de Nicolas Gaume.

avait parfaitement compris que ses enfants devraient jongler avec toutes ces nouveautés pour faire leur chemin dans la vie ». Puis la jeune fille fait des études de commerce, de la finance, travaille dans une banque pendant 14 ans, se marie... et s'ennuie beaucoup.

En fait, il n'y a qu'une chose qui pimente vraiment sa vie : l'ordinateur, les consoles, puis l'internet. Sa vie se partage entre son travail, son couple et sa famille d'un côté, sa passion pour les ordinateurs et les jeux de l'autre. Elle va d'ailleurs demander à sa belle-mère comme premier cadeau de naissance... une Game Boy !

Mais ce qui devait arriver arrive. Un beau jour, elle claque la porte de sa première vie ! Et en commence une deuxième, avec un nouveau compagnon qui partage sa passion.

Il lui faut trouver un nouveau métier, ce sera celui de photographe dans un premier temps. En noir et blanc, les visages des joueurs dans les grandes compétitions la fascinent, elle les capte et les couche sur le papier glacé. « Dans le jeu vidéo, il y a de l'émotion, de la rage, du plaisir ou de la concentration. » Puis elle entre en guerre contre tous ces sites de jeux sur internet, conçus par et pour des hommes, tristes et gris alors que tant de filles – et oui, elles sont aujourd'hui plus de 40 %[1] (47 % en Grande Bretagne) – jouent aux jeux vidéos, sur Game Boy, consoles, télé, ordinateur ou

---

1. Près de 60 % des joueurs sur téléphone mobile seraient des filles !

en ligne ! « Je voulais que l'on parle des jeux avec un discours plus féminin, qu'il y ait du glamour, de l'émotion, de la peur ! »

Elle se lance alors dans le métier du journalisme high tech, mais crée surtout son propre site[1] qu'elle peint en rose ! « D'abord parce que j'aime le rose, ensuite par c'est un code visuel : qui dit rose dit nana. » Sa cible ? Les femmes de 18-45 ans qu'elle va nourrir en informations multiples sur des jeux d'aventure, de stratégie, de guerre, de psychologie...

Bien sûr, une question me brûle les lèvres : « Y a-t-il des jeux pour filles et des jeux pour garçons ? » La féministe qui est en elle répond d'emblée : « Non, pas du tout, une fille peut avoir envie autant qu'un garçon de se défouler le soir en rentrant du boulot sur un jeu de guerre ».

Certes, mais n'y a-t-il pas quand même des jeux conçus davantage pour les filles ? Je pense notamment au jeu POGO joué majoritairement par des femmes de plus de trente-cinq ans. J'ai d'ailleurs lu qu'*Electronic Arts*, son concepteur, avait signé un accord avec *NBC Universal* – qui possède le site féminin américain *iVillage* – afin de fournir des jeux aux 16 millions de membres du site féminin, par ailleurs une des premières desti-nations choisies par les femmes qui aiment jouer sur Internet.

Et je pense aussi au jeu culte des Sims, vendu à plus de 150 millions d'exemplaires et qui serait

---

1. www.gamongirls.com

joué à près de 90 % par des filles. « Les Sims n'ont pas amené les femmes aux jeux vidéos, argumente Sandrine, ils leur ont donné une visibilité dans l'univers du jeu. »

Sandrine avance une explication intéressante. En fait, au début, les concepteurs des jeux étaient essentiellement des garçons. Mais le secteur des concepteurs et créateurs des jeux vidéos commence à se féminiser. Le volume des seins de Lara Croft aurait même diminué depuis que des femmes sont rentrées dans les équipes de programmateurs et depuis que les éditeurs se sont dits qu'il fallait aussi séduire le public féminin ! Et puis ces garçons créateurs de jeux vidéos sont devenus pères et se sont aperçus que leurs filles et leurs femmes voulaient jouer elles aussi.

En fait, ce que dit Sandrine, c'est qu'il n'y a pas des jeux pour garçons d'un côté et des jeux pour filles de l'autre, mais que les mêmes jeux sont joués de façon différente selon que l'on est un garçon ou une fille.

« La fille est multitask : elle peut jouer le matin aux Sims, le midi faire une partie avec la Wii[1], le soir un jeu de guerre où elle va se défouler contre son patron ».

À l'appui de sa thèse, elle brandit l'enquête faite sur son site auprès de 150 femmes joueuses. Quels sont leurs trois jeux préférés ? Tenez vous

---

1. Plus d'1,5 millions de Wii auraient été vendues en 2007.

bien, le gagnant est... *Survival horror*! Ne croyez pas non plus que les jeux comme *Counterstrike* soient réservés aux garçons. Les filles sont tout aussi passionnées par ce jeu entre terroristes et anti-terroristes qui se joue en équipe. Elles seraient en revanche plus solidaires vis-à-vis du reste de l'équipe que les garçons, plus axés sur la victoire de l'un d'entre eux!

Dans un genre différent, et c'est plus nouveau me dit Sandrine, il semble que les femmes sont de plus en plus nombreuses à jouer au poker en ligne. Vraie passion pour le jeu ou penchant pour les beaux yeux de Patrick Bruel, expert en la matière? Mystère. Peut-être que le poker en ligne séduit les femmes tout simplement parce que l'on y joue dans *Desperate Housewives*!

Pour être tout à fait honnête, les jeux vidéos ne font pas – encore? – partie de ma vie! Je me souviens à peine d'une Game Boy achetée pour mon fils aîné, et qui n'avait pas résisté à son impatience et de l'écran du PC familial agité par quelques jeux de stratégie sur l'Égypte, la Chine ou encore les Sims justement, pour mes filles! Mais de consoles de jeux, ou de jeu en ligne, ou sur téléphone mobile, sans même parler de ce que l'on appelle aujourd'hui les MMPORG[1], point! Quelle ne fut donc pas ma surprise de rencontrer une experte comme Sandrine, et même de découvrir plus tard au fil de mes recherches, que quelques-unes de mes

---

1. MMORPG : *Massive multiplayer online role-playing*, jeux de rôle en ligne massivement multi-joueur.

proches connaissances étaient des mordues de la console et avaient même refusé de tentantes invitations à dîner pour pouvoir passer la soirée chez elles, avec leur jeu vidéo préféré ! Dûment chapitrée par Sandrine, et conseillée également par Virginie, une de mes amies qui avait fait son *outing*, j'ai poussé la conscience professionnelle jusqu'à demander une Nintendo DS pour mon anniversaire, accompagnée du fameux jeu de *brainstorming* du docteur japonais ! Pendant deux ou trois allersretours Paris-Bordeaux, j'avoue avoir succombé à la petite machine, effectivement très bien dessinée pour les femmes, toute blanche et toute douce ! Quelques mois plus tard d'ailleurs, les pubs vantant ses mérites s'étalaient dans le métro, présentée comme le cadeau idéal pour la fête des mères !

Aujourd'hui, dois-je l'avouer, c'est ma fille qui joue avec ma console. Mais demain peut-être, quand j'aurai le temps, j'essaierai un nouveau jeu !

Au-delà des jeux, j'interroge Sandrine sur les différences entre les hommes et les femmes en matière de high-tech.

« Les hommes vont regarder la performance technique et le prix, parce que si c'est cher, c'est mieux. Nous, nous savons que, pendant toute notre vie, nous allons utiliser des appareils numériques, alors il faut que cela soit facile. Nous vivons plusieurs vies à 100 %. Nous sommes à 100 % dans notre boulot, à 100 % dans notre rôle de mère, à 100 % dans notre envie de nous amuser... Alors mon téléphone, il doit me servir à appeler mes petits, à recevoir des SMS de mon boulot. Et il doit être super joli sur une table ! »

Justement le sien est un tout petit objet rose fluo qui ne passe pas inaperçu sur la table noire du café où nous nous rencontrons ! Rose fluo comme le caractère de cette geekette très à l'aise dans ses baskets numériques de fille. Elle enrage néanmoins contre ces femmes qui donnent l'impression d'avoir toujours quelque chose à prouver ! « Les petites nanas qui arrivent dans mon métier du journalisme high-tech, elles veulent écrire comme des hommes et ne surtout pas montrer qu'elles s'adressent à des femmes. Nous ne sommes pas pareilles qu'eux, c'est tout ! Nous n'avons pas besoin de prouver quoi que ce soit ! Ni de faire comme les hommes. Assumons au contraire notre différence, que diable ! Moi, je n'ai pas honte de mettre un peu de paillettes et de rose sur mes joues ! Cela ne m'empêche pas d'être aussi performante qu'eux ! »

Avant d'enfourcher son scooter d'un air décidé, elle me lance, enjouée, sous son casque rose lui aussi : « Vous verrez, la fin de l'année sera féminine ! » Elle sait déjà que Microsoft et Nintendo préparent des gammes de jeux vidéo pour les filles à Noël ! Il y en aura même pour les petites filles, puisque *Barbie Girls World*, le monde virtuel de la poupée Barbie (qui a déjà attiré quatre millions d'abonnés), est sorti en version française à l'automne. Et que les femmes pourront s'instruire en lisant le guide qu'elle vient d'écrire pour expliquer le dernier logiciel de Microsoft : *Vista pour les filles*[1] qui devrait sortir lui aussi pour les fêtes de fin d'année. « Cet ouvrage sera simple et drôle, promet-elle, et surtout pas truffé de vocabulaire abscons qui fait croire aux hommes qu'ils sont très savants, et fuir les femmes par la même occasion. »

À côté de Sandrine, qui représente à mes yeux la geekette-glamour-joueuse idéale, j'ai rencontré sur cette île deux autres femmes observatrices attentives de ce monde des TIC et de la high-tech, Claire et Emily. Deux autres regards de femme sur ce monde technologique.

C'est sans doute parce que, malgré sa passion pour le monde des TIC, elle en avait elle aussi un peu marre de ne trouver sur internet que des sites au langage « technopompeux », que Claire un jour est devenue Misstics. En marge de son activité professionnelle, liée au domaine des technologies, elle a ouvert son blog[2], extrêmement bien documenté, et est devenue au fil du temps une référence en la matière. Son idée : synthétiser la masse d'informations sur les TIC, dont elle était chaque jour abreuvée, et en faire des comptes rendus simples. Petit à petit, elle s'est prise au jeu, et son blog, lu par des

---

1. Windows, *Vista pour les filles*, Micro Applications, 2007.
2. http://misstics.canalblog.com

milliers d'internautes, est désormais cité dans tous les forums comme une référence.

Sa spécificité ? Offrir un regard féminin, une approche pédagogique, avec un peu d'humour, visant à expliquer les technologies aux femmes qui ont des questions « plus concrètes, plus pratiques que les hommes ». Repérée, comme Sandrine, par l'éditeur Micro Applications, elle devait également écrire un livre sur l'Internet pour les filles[1].

On trouve des informations très intéressantes sur Misstics, comme celle d'aujourd'hui sur les progrès de la cyberconsommation. On y apprend que six internautes sur dix ont acheté dans les six derniers mois et que 24 % des internautes laissent un commentaire en ligne après un achat. Que les *blogueur*s sont devenus de vrais *influenceurs* puisque 44 % des internautes français ont renoncé à acheter un produit à cause d'une mauvaise note sur un blog ! Et comme les femmes sont à la fois les premières acheteuses et les premières blogueuses...

Nous retrouverons les blogueuses sur l'île de la conversation, puisque, avant de s'influencer, il s'agit bien de se parler. De parler de soi ou de parler avec d'autres d'un sujet qui vous tient à cœur. Il y a en fait deux façons de bloguer. L'une pour se confier, mettre sur la place publique un peu de son intimité, ce que les sociologues nomment « l'extimité ». L'autre pour influencer, pour peser, pour utiliser la toile comme un tremplin pour donner

---

1. *Internet pour les filles*, Micro Applications, 2007.

son opinion, susciter des débats et guider les esprits parfois. Dans le premier cas, le blog s'apparente au journal intime. Dans le second, il est davantage une tribune où l'on se construit une réputation. Dans les deux, les femmes, parfois les mêmes, parfois différentes, sont de plus en plus présentes...

***

Emily est-elle une influenceuse, elle qui orchestre aujourd'hui quatre blogs différents ? Elle préfère se présenter comme un témoin privilégié de cette fantastique révolution numérique qui bouleverse nos sociétés depuis une quinzaine d'années.

Internet a, parmi d'autres vertus, celle de permettre la découverte de quelqu'un, à son insu, avant même la première prise de contact. C'est ce qui m'est arrivé avec Emily. Il y a plusieurs années en effet j'étais allée chez elle, dans le cadre d'une recherche pour mon travail. Enfin, quand je dis chez elle, c'est plutôt dans une de ses résidences virtuelles, un de ses blogs consacrés à l'univers de la téléphonie mobile[1]. Mais j'ignorais naturellement à l'époque chez qui j'étais allée cliquer...

Trois ans et quatre blogs plus tard, à la fin de l'été dernier, j'ai fait la connaissance d'Emily, au bout du téléphone. Une petite voix douce et dis-

---

1. http://www.textually.org/

crête, qui ne correspondait pas à celle de l'*executive woman* que j'imaginais régner sur une galaxie de sites tous plus pointus les uns que les autres !

Dans sa grande maison dans la campagne de Genève, il fait beau ce matin de fin d'été me dit-elle. Emily revient d'une séance de *Nordic Walking*. Dans son bureau tout en haut de la maison, encore en tenue de jogging, elle s'asseoit devant son ordinateur Apple avant de me rappeler avec son mobile Nokia, les deux seules fantaisies technologiques qu'elle s'autorise, en attendant, quand même, l'arrivée dans quelques mois de l'iphone !

Dans son dos, me décrit-elle, une grande fenêtre s'ouvre sur un jardin avec un bassin où viennent se poser des canards sauvages à certaines époques de l'année. Comme chaque jour ou presque, Emily va entamer sa longue séance de surf sur la toile, six heures en moyenne par jour. Elle va fureter sur ses centaines de fils RSS et newsletters, à la recherche de toutes les infos qui vont lui permettre de capter les tendances du jour, les dernières inventions du moment, les nouveaux débats en cours. Elle va les classer, les ordonner dans chacun de ses blogs, y ajouter sa patte dans une vingtaine de billets et satisfaire ainsi la curiosité de milliers d'internautes qui attendent chaque jour la livraison d'Emily comme l'on guettait à Delphes les oracles de la Pythie !

Au début, son mari n'était pas très enthousiaste : « Cela me prenait trop de temps. Pour être honnête, j'étais obsédée, et Internet n'était pas encore rentré dans les mœurs en 1995. J'avoue que depuis que je rentabilise mes blogs ces trois dernières années, mon entourage considère davantage mon intérêt comme une véritable activité professionnelle que comme une simple passion. »

Un beau jour en effet, le patron du plus grand blog américain sur les technologies[1] lui conseille de mettre *google ads* sur ses pages pour récolter des recettes publicitaires. Pas très au fait de la technique, elle demande à un ami de s'occuper des procédures nécessaires.

Ses informations très ciblées attirent tout de suite les annonceurs et les recettes rentrent ! Même si ce n'était pas l'objectif recherché au départ, il va sans dire que ces recettes publicitaires, qui vont jusqu'à 3 000 dollars par mois, sont un bon stimulant...

Comment la jeune américaine, qui fait ses débuts à 21 ans comme secrétaire dans une banque avant de rentrer chez Lancôme à New York puis à Lauzanne, puis de faire de la PAO en indépendante pendant cinq ans, est-elle devenue trente ans plus tard la papesse des TIC au fin fond de sa campagne suisse ?

Le déclic date de 1994. Un beau jour, elle assiste à une conférence du magazine *L'hebdo* de Genève sur l'arrivée de l'Internet, avec une démonstration du web, des e-mails.... C'est le coup de foudre ! Emily se passionne pour cette trouvaille dont elle pressent d'emblée les retombées sociologiques,

---

1. http://www.engadget.com/

économiques et culturelles. « Je suis tombée amoureuse de l'Internet. Je me suis mise à suivre l'actualité de l'Internet avec boulimie. Lire le *New York Times* ou le *Wall Street Journal* en ligne, c'était formidable ». Elle a alors l'idée d'envoyer une newsletter, qu'elle baptise tout simplement *netsurf*[1], à des journalistes qu'elle apprécie. Observatrice passionnée de ce nouveau monde, elle va y passer ses journées, ne voulant manquer aucun des moments forts des débuts. Comme ce jour de février 1996, où, en réaction au projet du congrès américain de *Communication decency act* qui envisage de brider la liberté d'expression des acteurs de ce nouveau monde, le site yahoo décide de réagir en coloriant toutes ses pages en noir ! « C'est passé un peu inaperçu en Europe, se souvient-elle, mais cette époque-là, c'était un peu le farwest, c'était grisant ! » Parallèlement à sa veille *via* son blog, elle commence à faire des piges pour un magazine. La première fois, elle envoie un mail à *Planet internet*, proposant de faire une sorte de revue de presse des sites internet qui lui semblent intéressants. Le rédacteur en chef lui répond que le bouclage est dans 45 minutes : elle doit se dépêcher d'envoyer les critiques qu'elle a déjà réalisées. Emily, qui n'a jamais été journaliste, lui envoie deux ou trois petits billets. Elle est engagée et continuera pendant deux ans ! « On ne m'a pas demandé ma carte de presse, ni mon âge, ni mes références », raconte-

---

1. http://www.netsurf.ch/

t-elle aujourd'hui. C'était cela aussi le monde de l'Internet, la confiance et la liberté. Elle enchaîne avec d'autres magazines, comme *WebdoMag*, *.net*, *Montres et Passion* (une page sur les sites Internet des marques horlogères). Puis avec un ami français, elle collabore à un blog qui va parler des blogs.[1]

Entre temps, Emily se rend compte que son site *netsurf* n'est pas très lu aux États-Unis. Alors, elle décide de lancer en anglais, à destination des Américains, un site spécialisé sur les SMS, *textually.org*, qui les intéresse d'autant plus que ceux-ci, très en avance sur l'Europe dans le domaine de l'Internet, sont en revanche en retard dans la téléphonie mobile. *Textually* décolle à toute allure.

Les SMS, ces mini messages dont personne n'imaginait qu'ils allaient devenir un des succès majeurs du monde de la téléphonie mobile, fascinent Emily. Leur pouvoir va au-delà des jeux et des mots. Alors qu'ils sont utilisés dans des émissions de téléréalité en Europe, ils contribuent à faire tomber un gouvernement aux Philippines. Emily va s'appliquer à décrypter toutes les avancées de ce nouveau mode de communication qui continue aujourd'hui à faire les beaux jours des opérateurs téléphoniques et de la démocratie participative !

Lorsque les téléphones se dotent de capacité photographique, elle ouvre un second blog sur les *camera phones*, ces téléphones mobiles équipés d'appareils photo. Eux aussi jouent très vite un rôle

---

1. http://www.pointblog.com/

social très important, transformant des millions d'utilisateurs en témoins exceptionnels de multiples événements comme des attentats, accidents ou toute autre manifestation, dramatique ou exceptionnelle. Ils font de ces témoins anonymes les concurrents potentiels des média traditionnels...

Un autre phénomène excite la curiosité d'Emily : ce sont les sonneries musicales des portables, ces *ringtones* et *ringbacktones,* qui permettent à chaque utilisateur de personnaliser son téléphone et même d'associer une sonnerie différente à chacun de ses interlocuteurs ! Ces sonneries font un tabac chez les jeunes, qui sont prêts à payer pour télécharger une sonnerie alors que pour rien au monde ils ne paieraient pour une musique sur Internet. Emily en fait un des thèmes récurrents de ses chroniques.

Son dernier blog en date porte sur la vidéo sur Internet. « C'est la grande révolution, dit-elle, une sorte d'aboutissement. C'est toute la promesse de l'Internet qui se réalise enfin, grâce à une généralisation des connexions à large bande passante et grâce à la qualité des vidéos (enfin fluides !). C'est un sacré challenge pour l'industrie du cinéma mais surtout pour les chaînes de télévision qui sont confrontées aux mêmes problèmes que l'industrie de la musique et les téléchargements gratuits. Ce n'est pas aussi sans rappeler les problèmes posés par l'Internet à la presse écrite. Faut- il diffuser en dédoublant son contenu en ligne ? Et si oui, quel sera le meilleur modèle économique ? »

Les interrogations sont multiples et Emily veut être au cœur de tous ces débats, de tous ces défis appelés à bousculer les schémas actuels.

Sa dernière passion : les séries télé américaines qu'elle regarde sur Internet car elles ne sont pas encore diffusées sur les chaînes de télévision en Suisse. « J'en regarde une ou deux par jour, sans compter les week-ends », confie-t-elle, intéressée par l'impact de ces images très américaines dans les pays dont la culture est tout autre...

Nul doute qu'elle est aujourd'hui à la recherche d'informations sur ce sujet, puisque les effets de ces technologies sur les esprits et les évolutions de la société restent sa principale préoccupation. Et nul doute, que dès qu'elle en aura, elle les fera partager à tous ses lecteurs internautes...

5.

L'île du Business

Tandis que Claire observe, en pédagogue, Sandrine jouer sur l'île des geekettes, et que, vigile en haut de son phare, Emily scrute l'océan numérique, j'accoste...sur l'île du business, à la recherche non plus des observatrices du numérique mais de ses actrices !

Sur cette île, les métiers sont divers. Il y a les entreprises de technologies de l'information et de la communication, ces entreprises de *high-tech*, comme l'on dit aussi, qui vont des fabricants de composants électroniques à des entreprises de réseaux. Il y a également les millions de sites internet – BtoB ou BtoC[1] – qui fleurissent chaque jour sur la toile et qui, à des degrés divers, font des profits. Ces deux univers sont assez différents l'un

---

1. BtoB : *business to business* : sites dont les clients sont des entreprises. BtoC : *business to consumer* : sites dont les clients sont des consommateurs particuliers.

de l'autre et si les femmes prospèrent de plus en plus sur le second, elles restent encore minoritaires dans le premier. Parfois, les deux se chevauchent.

Certes, il y a aujourd'hui plus de femmes qu'hier dans tous ces métiers et l'émergence des nouvelles technologies a notamment ouvert des perspectives pour les femmes dans un certain nombre de pays en voie de développement.

Celles qui y exerçaient déjà une activité indépendante, soit à la tête d'une micro-entreprise, soit à leur domicile, se sont tournées vers le commerce électronique qui a fait un bond spectaculaire et leur permet de gagner de l'argent tout en continuant à s'occuper de leur famille et de leur maison.

J'ai trouvé sur la toile de multiples exemples de réussite. En Inde, ce sont des saris que des femmes vendent en ligne ; au Pérou, ce sont des pâtisseries[1], et en Éthiopie des costumes traditionnels ou des épices. Des produits faits main de l'artisanat local se vendent aussi en Égypte[2], en Jordanie, au Liban, au Maroc, en Tunisie. Dans certains pays où les moyens de paiement sûrs en ligne ne fonctionnent pas encore, les femmes se spécialisent plutôt dans l'achat ou la vente d'information.

Un des meilleurs exemples dans ce domaine, devenu une sorte de modèle, est fourni par le Ban-

---

1. http://www.tortasperu.com.pe/
2. http://www.elsouk.com/

gladesh avec la banque Grameen et l'opérateur téléphonique du même nom. Grâce au micro-crédit,
de nombreuses femmes très pauvres des zones
rurales, ont pu acquérir des téléphones auprès de
Gramenphone, et revendre ensuite des services
payants dans leurs boutiques. En Afrique encore,
au Burkina Faso par exemple, une association de
femmes *song taaba* (qui signifie s'entraider) a choisi
d'utiliser le net pour vendre du karité en ligne avec
le slogan « Une femme, un revenu ».

Mais ces exemples ne masquent pas ce que
l'on appelle la « fracture numérique de genre » très
présente encore en Afrique et qui s'illustre par le
fait que les femmes, dans le domaine des TIC, sont
encore loin des hommes en matière d'équipement,
d'éducation, d'emploi et de revenus. Plusieurs
études aboutissent à cette conclusion, notamment
une très intéressante menée conjointement par
l'institut canadien IDRC (*International Develop-
ment Research Center*) à Ottawa et le *Gender and
ICT network* de Dakar[1].

En Occident, quelques figures emblématiques
occupent depuis plusieurs années le devant de la
scène féminine numérique. Certes, être femme
dans un milieu traditionnellement masculin est
souvent un parcours du combattant. Carly Fiorina,

---

1. *The gender digital divide in francophone Africa. A harsh reality*
http://www.famafrique.org/regentic/indifract/africa_gender_divide.pdf :
les six pays étudiés étaient le Sénégal, le Mali, la Mauritanie, le Bénin, le
Burkina Faso et le Cameroun.

ex-directrice générale de Hewlett Packard raconte par exemple cette anecdote révélatrice dans son livre[1] : « Avant même que nous ne soyons assis, le rédacteur en chef de *Business Week* me posait la première question : "C'est un tailleur Armani que vous portez ?" » Mais elles ont bel et bien réussi, malgré les difficultés récentes de certaines d'entre elles, à imposer leur professionnalisme, comme Meg Whytman, PDG d'Ebay, Mitchel Baker, présidente de la fondation Mozilla, ou encore Pat Russo de Lucent Alcatel. Plus près de nous en France, plusieurs femmes sont devenues des références comme Anne-Sophie Pastel, fondatrice d'Aufeminin.com, et présidente jusqu'en décembre dernier[2], Corinne Delaporte, PDG de Benchmark, ou encore Florence Devouard qui préside la fondation Wikimedia qui gère l'encyclopédie en ligne Wikipédia depuis un petit village près de Clermont-Ferrand.

Mais elles restent les arbres qui cachent la forêt de la majorité masculine. Une tendance, qui selon certains instituts, n'est d'ailleurs pas prête de s'inverser. À l'automne 2006, je tombais sur une étude de l'institut Gartner qui s'inquiétait du fait que les femmes étaient moins nombreuses dans ces

---

1. Carly Fiorina, *Des choix difficiles*, Les éditions Transcontinental.
2. Après la reprise d'Auféminin par l'allemand Axel Springer à l'automne, c'est l'ancien président d'Allociné, Bertrand Stephann, qui lui succède.

secteurs qu'il y a quelques années[1]. « En 2012, selon l'institut, 40 % d'entre elles devraient avoir quitté les TIC pour rejoindre le monde des affaires, celui de la recherche et du développement ou encore la création d'entreprises. » Ce qui serait une très mauvaise chose puisque toujours selon le Gartner, les femmes sont mieux placées que les hommes pour accompagner les changements comme la globalisation ou les nouvelles pratiques de business.

« Les DSI ne semblent pas prendre conscience que des missions comme le *social networking* ou le travail collaboratif pourraient être bien mieux assurées par les femmes », expliquait ainsi Mark Riskino, vice-président de l'institut...

Ce monsieur aurait sans doute été conforté dans son analyse s'il avait entendu à Deauville en octobre 2007 au cours du dernier *Women's Forum*, la présentation de l'étude de l'institut Mac Insey[2]. Non seulement celle-ci insistait sur les besoins en main d'œuvre féminine en Europe dans les prochaines années, mais elle démontrait également, chiffres à l'appui, que les entreprises qui employaient des femmes dans leurs rangs (notamment celles qui leur offraient des fonctions hiérarchiquement importantes) étaient plus performantes que les autres, non seulement sur le plan de l'organisation du travail, mais aussi sur les résultats financiers de l'entreprise.

---

1. *Les femmes sont plus efficaces que les hommes dans le monde IT*, 7 novembre. 2006 par Olivier Chicheportiche. http://www.silicon.fr/

2. *Women Matter* (*gender diversity, a corporate performance driver*), McKinsey and Compagny.

Car les talents féminins dépassent bien entendu les seuls domaines des ressources humaines, en s'épanouissant notamment dans celui du design de services et de produits. Intuitivement guidées par le quadruple souci de l'utilité, de la simplicité, de la polyvalence et de l'esthétique, elles excelleront dans le design et l'ergonomie des appareils et services électroniques de demain, qui seront de plus en plus mobiles et interactifs.

Je suis donc plus optimiste que l'institut Gartner sur les chances des femmes dans cet univers, même si les carrières scientifiques, et donc les carrières d'ingénieurs, sont encore trop peu choisies par les filles. De son côté, et pour rendre plus humaine cette question des femmes dans les IT, le groupe O'Reilly media a eu l'idée de lancer à l'automne dernier sur son site internet[1] une série dédiée aux *Women in Tech*. Chaque jour, une femme travaillant dans le secteur racontait son histoire. Des aventures qui permettaient certes de mettre l'accent sur les difficultés des femmes dans un monde qui reste majoritairement masculin, mais aussi d'attirer beaucoup de jeunes femmes vers un secteur plein de promesses. La série devait être ensuite éditée et une partie des recettes reversée à l'ATC (*Alliance of Technology and women*).

Lors du Women's Forum, un événement baptisé *Sci Tech Girls* a été également organisé pour promouvoir la place des femmes dans les métiers

---

1. http://www.oreillynet.com/

des high-tech et surtout encourager les jeunes filles à se lancer dans l'aventure ! Par ailleurs un women's forum blog a été lancé, qui a fait participer une dizaine d'étudiant(e)s des grandes écoles, signe de l'importance des blogs dans la sphère féminine des affaires !

Aude de Thuin, rejointe dans cette initiative par Orange, a même eu la bonne idée d'inviter quelques stars féminines[1] de la blogosphère à plancher sur le net avec leur ton très personnel pour donner un autre écho, là aussi très féminin, à son forum !

En France, les entreprises ont aussi compris qu'elles avaient intérêt à être actives en la matière. Certaines d'entre elles, dans le cadre de ce que l'on appelle désormais en entreprise « les programmes de diversité », essaient ainsi d'encourager le recrutement des femmes. Comme IBM avec le programme *Women in technology*, Hewlet Packard ou encore Lenovo.

C'est le cas aussi de Cisco chez qui travaille Anne, avec laquelle j'ai décidé de commencer ma visite de l'île du business.

Elle avait choisi pour notre premier rendez-vous, début 2007, un temple féminin du plaisir, chez Ladurée, sur les Champs-Élysées. Décor vert amande et style Rococo, entre douceurs et

---

1. http://www.penelope-jolicœur.com/, http://www.anina.typepad.com/, http://dinamehta.com/

vieilles dentelles. Je me souviens d'avoir cédé à la tentation d'un gros macaron au triple chocolat noir, tandis qu'elle en choisissait un à la pomme...

Très *executive woman* sans cesse entre deux avions, féminine jusqu'au bout des ongles, maman de trois enfants, Anne appartient à la catégorie des femmes qui travaillent dans une entreprise de hautes technologies, majoritairement masculine. Ni ingénieur, ni informaticienne, son parcours professionnel, après Sciences po et l'ENA, commence dans le service public, où elle va se trouver pendant quatre ans au cœur des relations entre l'État et les entreprises de l'audiovisuel (radio et tv). Elle entre ensuite dans le privé, chez Thomson, où elle devient directrice de la planification stratégique, en prise directe avec les nouveaux produits technologiques qui vont envahir notre vie quotidienne. Très vite, elle prend la tête du département e-business et rejoint Cisco en 2004, dont la dernière campagne de marketing est joliment signée : *the human network*. Là, comme directrice des partenariats stratégiques, elle conseille les décideurs européens sur l'impact des TIC en matière politique, économique, sociale et culturelle.

Mais, plus que le *Human*, dans le réseau, ce qui intéresse cette jeune femme élégante, douce et déterminée, toujours très précise dans son expression et sans cesse tournée vers le futur dans sa réflexion, c'est le *Woman*. Elle en est convaincue, le temps des femmes est venu. Alors, quand son entreprise, qui emploie encore 80 % d'hommes, décide de promouvoir la place des femmes dans le secteur des TIC et d'encourager les jeunes femmes à s'orienter vers des carrières d'ingénieurs, elle fonce. Le *Women Access Network* ronronne un peu... Elle crée *Connected women*, qui va réunir des femmes qui ont un intérêt pour internet ou l'innovation, les nouvelles technologies, le changement. « On leur propose un lieu de rencontre, et d'échanges ». La première réunion autour du thème de la montée en puissance des femmes, puis la seconde dédiée aux jeunes filles, *connected girls* sur les métiers liés aux nouvelles technologies font salle comble !

Si Anne est toujours à l'affût des nouvelles idées, elle reconnaît avoir la chance de travailler dans une entreprise pilote en matière de mobilité et de flexibilité du temps de travail.

« Je n'ai aucune obligation particulière d'être au bureau », dit Anne, qui passe beaucoup de temps à voyager et à travailler chez elle. Si Cisco est assez exemplaire en matière de télétravail – sans doute d'ailleurs parce qu'elle est une entreprise internationale –, la France n'est pas encore à la pointe dans ce domaine.

C'est la conclusion que j'ai tirée de la lecture d'un rapport parlementaire remis au Premier ministre à l'automne 2006[1]. Le télétravail y apparaissait sur le papier comme une modalité idéale

---

1. « Du télétravail au travail mobile, un enjeu de modernisation de l'économie française ». Rapport au Premier ministre, Pierre Morel-À-L'Huissier.

d'organisation du travail : à la fois un facteur d'accroissement de la productivité, la réponse à un souhait social et aux besoins des entreprises, tout en étant adapté à l'économie de la connaissance. Mais la réalité était tout autre. Je ne sais pas où en sont aujourd'hui les chiffres du télétravail en France, mais ceux donnés dans le rapport montraient que le télétravail ne concernait que 7 % de la population active, pour une moyenne européenne de 13 % !

Et, contrairement à ce que l'on pourrait penser, les femmes n'étaient pas les premières bénéficiaires de ce mode d'organisation, même si, là encore en théorie, le télétravail semble « très bien correspondre à leurs préoccupations, largement tournées vers l'équilibre entre vie professionnelle et vie familiale ».

Le rapport avançait quelques explications :

« Globalement, l'explication du faible taux français en matière de télétravail serait à rechercher non pas dans un quelconque retard français en matière d'équipement ou d'infrastructure, mais dans les mentalités françaises et l'organisation du travail qui tarde à capitaliser les avantages offerts par les TIC. »

Exception faite sans doute des entreprises du secteur des TIC qui sont bien sûr les bonnes élèves de la classe du télétravail et pourraient montrer le chemin aux entreprises plus traditionnelles.

Épanouie dans le mode d'exercice de son travail, Anne est également plutôt optimiste sur la condition de la femme française, notamment quand elle la compare à ses collègues américaines, « qui ont plus de difficultés que nous à assumer leur statut de femmes...et à faire garder leurs enfants ».

« Je pense que la culture française est respectueuse de la femme, et cela on le doit à nos hommes. De tout temps, on a eu cette attitude, rappelez-vous les salons mondains du XVIIIe siècle qui étaient animés par des femmes, comme Madame de Staël ou Madame Récamier à la veille de la révolution et qui avaient un rôle très important. Il était admis et apprécié que la femme soit jolie, mère et en plus intelligente ! »

En ce début de XXIe siècle, la femme se doterait-elle d'un nouvel attribut : *virtuelle*, qui, si l'on en croit Anne, lui sied également à merveille ? C'est son nouveau combat : développer désormais son *Connected Women* dans l'univers virtuel de Second Life. Le 22 octobre dernier, dans le cadre très solennel du Sénat, a ainsi été inaugurée, sous la conduite d'Anne, l'île *Connected Women*. Une île où pourront se retrouver les femmes du réseau réel bien sûr, mais aussi toutes celles qui pousseront la porte de ce nouvel univers. Et une île écologique qu'Anne a tenu à bâtir avec l'Ademe[1], parce qu'elle est convaincue que le développement durable est un des sujets majeurs des années à venir et que les femmes, particulièrement sensibilisées à toutes ces questions,

---

1. Agence de Développement et d'Environnement et de la Maîtrise de l'Énergie.

vont y jouer un rôle. Entre la piscine écologique et le bar bio, sous l'éolienne et entre mille essences diverses, les femmes de *Connected Women* pourront recueillir tous les renseignements utiles pour mener une vie durable et responsable ! Et parmi ces outils, rien d'étonnant à ce que l'on y trouve, nous explique Anne, des moyens faisant appel aux nouvelles technologies, comme les conférences de téléprésence qui limitent les déplacements, ou encore les produits informatiques écologiques...

C'est sur cette note verte que je laisse Anne sur ces deux îles...

***

Si elles ont du mal à creuser leur sillon féminin dans les entreprises directement liées aux nouvelles technologies, les femmes sont en revanche beaucoup plus présentes dans le monde de l'Internet. À en croire une information cueillie sur le net, 75 % des nouvelles start-up américaines seraient des projets de femmes, et en France, les projets féminins se multiplient.

En fait, c'est bien le continent du web, sur lequel les talents féminins multiples peuvent s'épanouir, qui séduit le plus les femmes... Forte de cette conviction, je décidais en quittant Anne de continuer ma visite sur l'île du business en allant rencontrer quelques actrices de la toile.

Je vais y retrouver sans surprise des pionnières de l'Internet, celles qui ont accompagné la première vie du réseau au milieu des années 1990. Ce qui est plus surprenant en revanche, dans ce monde que l'on dit sans mémoire et sans repère, c'est de voir que les années qui passent n'ont rien altéré de la complicité des débuts. Que ce sentiment très fort d'avoir vécu ensemble l'aventure excitante de la naissance d'Internet, a nourri au fil du temps le désir inconscient de se retrouver un jour.

Amies mais parfois concurrentes à la fin du XXe siècle, ces trois-là vont partager au début de ce XXIe le même projet numérique. Et c'est une aventure féminine, pour les femmes !

Alors qu'Oriane était l'emblème de Caramail, Isabelle fut celui de Yahoo. En 1997, après des études à Dauphine et un passage chez Hachette Filipacchi Media, la jeune femme va rester neuf ans fidèle au célèbre moteur de recherche, ce qui va faire d'elle à la fois la plus jeune et la plus ancienne de l'entreprise ! Y a-t-il une vie après Yahoo, se demande-t-elle après toutes ces années ? Oui, lui répondent rapidement les nombreux groupes de media qui vont faire appel à ses conseils pour leur stratégie sur internet. Car 2005 est une année charnière, qui voit décoller les investissements publicitaires sur internet et ébranler du même coup les difficiles équilibres des media traditionnels. À la faveur d'une mission pour un groupe régional, Isabelle découvre le domaine des petites annonces et sent qu'entre ce nouvel univers et l'Internet pourrait se nouer un mariage plus qu'heureux. Les bons exemples étrangers, de Craiglist à Vivastreet sont nombreux. Seule manque peut-être l'idée de cibler les petites annonces sur un critère socio-démographique. Cette intuition féminine, Isabelle souhaite la partager avec d'autres femmes, et c'est tout naturellement qu'elle se tourne vers Cécile qui, heureux hasard, vient de quitter Meetic. Les deux amies affinent leur cible et décident de lancer le premier site de petites annonces gratuites destinées aux femmes ! Baptisé Badiliz, le site, convivial et féminin, fait le pari que les femmes vont aimer se retrouver en ligne pour échanger leurs petites annonces, aussi bien pour trouver un canapé ou un baby-sitting, qu'un appartement à visiter ou du co-voiturage ! Un pari en passe d'être gagné puisque, trois mois après le lancement du site, celui-ci avait déjà 80 000 visiteurs uniques et 65 000 abonnés. L'écrasante majorité sont des femmes bien sûr, à qui, et c'est toute l'originalité du projet, de multiples services (crédit, assurance, livraison) vont être proposés ! Le tout dans une philosophie très développement durable, puisque les ventes et achats faits sur Badiliz prolongent la vie des produits échangés.

Après la naissance de son bébé, Oriane rejoint Badiliz tandis que Géraldine, épouse d'un célèbre blogeur parti à San Francisco[1], joue l'amie améri-

---

1. Loïc Le Meur vient de lancer le site vidéo Seesmic.

caine, porteuse d'idées innovantes venues de la côte ouest à base de nouveaux outils et de WEB3.O.

En ce matin ensoleillé d'avril 2007, Cécile me parle de cette rencontre entre les femmes et l'internet. Si elle a plutôt bonne mine, malgré le stress du lancement prochain c'est parce que sa semaine de vacances en Laponie avec son petit garçon de 10 ans lui a permis de refaire le plein d'énergie, et surtout de confiance en elle, puisque après quinze ans d'abstinence due à une mauvaise chute sur les pistes, elle a enfin pu rechausser ses skis !

Son parcours est celui d'une jeune fille à l'énergie débordante qui a envie de bouger et d'être en phase avec son temps. Alors elle enchaîne les expériences. Étudiante à Sciences po, où elle termine par un DESS de marketing, elle participe à la première expérience de radio d'info locale (Canal Versailles Stéréo). Dans la foulée, son stage de trois mois aux États-Unis se transforme en dix-huit mois de travail dans une grande banque américaine, où on lui demande d'accompagner les équipes qui accueillent les premiers systèmes informatiques. Déjà, elle fait le lien entre l'informatique et l'humain, ce qui restera jusqu'à aujourd'hui son credo favori. À son retour, elle passe par la case télévision : trois ans à la direction des programmes et du marketing de la première cinquième chaîne. Trois ans plus tard, une nouvelle aventure l'attend : la société de conseil média, Carat, où elle commence par travailler à la direction des études TV. Mais très vite Internet va la rattraper. « Quand le réseau est arrivé, je l'attendais. Dès 1994, j'ai fait une grande étude sur l'arrivée d'Internet auprès de mes clients. Je leur expliquais que quelque chose allait transformer le lien qu'ils entretenaient avec leurs consommateurs ». Elle crée alors le département multimedia au sein de l'entreprise, où ses collègues vont un peu la regarder, elle et ses équipes, comme des extra-terrestres !

Puis ce sera Vivendi, Amazon, et Meetic. Entre temps, des missions passionnantes aux États-Unis, grâce notamment à la fondation Eisenhower, lui permettent de mettre en pratique l'esprit de réseau et de réfléchir à l'« homme numérique ». En rentrant, elle crée sa propre société de conseil, en technologies cela va de soi, *Sixième continent*. Et continue de dispenser avec le même enthousiasme ses cours aux étudiants du Master de management et nouvelles technologies[1] à HEC. Tout en restant l'une des meilleures expertes de l'univers numérique, qu'elle a défini avec beaucoup de justesse dans son livre paru en 2004, *Mail connexion*[2]. « Ce monde digital a des particularités qui en font un étrange endroit. Un endroit où les masques du statut tombent ; un endroit où vous pouvez être anonyme, être sans limite géographique autre que la localisation des machines qui s'y relient ; un endroit où le linéaire laisse la place au discontinu,

---

1. master HEC/ENST / École nationale supérieure de telécomunications.

2. *Mail connexion*, la conversation planétaire, Cécile Moulard, Au Dibale Vauvert, décembre 2004.

où règne l'association d'idées, un endroit où il est possible d'entretenir un nombre de relations plus important qu'avec n'importe quel autre moyen communicant ; un endroit qui rapproche et isole ; un endroit enfin qui garde la mémoire de toutes les interactions. »

Finalement, à force d'observer le réseau et les femmes, Cécile acquiert la même conviction qu'Isabelle : l'Internet peut être une formidable opportunité pour beaucoup de femmes à la maison, ces mères de famille qui sont, notamment en France, les plus connectées des femmes. Et au-delà de la France, puisque les études les plus récentes[1] montrent que partout en Europe, les mères de famille sont plus représentées que les autres femmes sur internet, les 3/4 de leur temps de surf étant d'ailleurs consacrés à des préoccupations personnelles. Plus connectées et mieux équipées aussi (86 % d'entre elles ont le haut débit, contre 69 % des foyers en général), la toile va leur permettre de se re-socialiser en leur donnant une nouvelle place dans le foyer. Avant, leur seul rôle était de gérer les dépenses du ménage. Aujourd'hui, grâce à des sites sur lesquels elles peuvent acheter, mais aussi vendre, elles vont pouvoir créer du revenu disponible pour le foyer. C'est un changement total de

---

1. *Digitals mums*, issus d'une étude de l'EIAA (terrain en 2006) : http://www.journaldunet.com/ebusiness/internet/chiffre/070710-cyber-mamans/index.shtml.

paradigme, qui leur redonne un nouveau statut dans la famille. Non seulement elles peuvent trouver là le moyen de s'épanouir sur le plan personnel en ayant une activité bien à elles, mais elles sortent ainsi de leur bulle domestique pour se retrouver elles aussi, grâce à la passerelle numérique, sur la planète économique et sociale !

Aujourd'hui Cécile n'en démord pas : ce monde digital est fait pour les femmes, parce qu'il se nourrit d'« usages et de liens ». « Les liens sont féminins, les réseaux féminins sont plus ouverts que les réseaux masculins. La femme entretient le réseau. C'est la femme qui est la gardienne du lien. »

Bref, une vision tout sauf technologique !

C'est un des thèmes chers à Cécile. Il faut regarder les outils technologiques comme des outils, et rien de plus, afin de ne pas tomber dans l'addiction. « Les femmes sont plus raisonnables que les hommes. La femme a un équilibre internet que les hommes n'ont pas. Dès qu'une femme a des enfants, elle a des contraintes, elle doit couper le fil. »

Je ne suis pas certaine pour ma part que les femmes soient tellement à l'abri de l'addiction, tant il est vrai qu'un blog (et les femmes sont plus blogueuses que les hommes) peut devenir une vraie drogue. Mais sans doute sont-elles un peu moins vulnérables que les hommes. Peut-être grâce aux enfants qui permettent de définir les priorités de la vie...

Une blogueuse à succès, Catherine[1], m'expliquera cela joliment quelque temps plus tard : « Mon blog n'est qu'un des wagons que j'ai raccroché à ma vie, en plus du boulot, des bébés, de mes livres... ce n'est pas la locomotive. »

***

Si Badiliz a démarré son existence en ligne, beaucoup de belles aventures féminines ont démarré dans la vie réelle avant de s'offrir une deuxième vie en ligne. C'est vers ces autres contrées de l'île du business que je me dirige en quittant Anne, Isabelle, Cécile et les autres...

Des femmes qui ont créé leur propre entreprise avant de réaliser le formidable essor que l'internet pouvait donner à leur projet, il y en a beaucoup.

Pauline est de celles-là, qui a choisi un créneau fait pour les femmes... et pour les hommes : le mariage !

Tout a commencé par sa première dispute avec son fiancé. C'était au rayon liste de mariage d'un grand magasin, lorsque vint le moment, en principe délicieux, où l'on choisit, avec le futur compagnon de sa vie, les cadeaux que l'on recevra le jour J...

Le rêve peut parfois se transformer en cauchemar. Des heures d'errance entre les différents rayons

---

1. http://lemondedejuliette.over-blog.net/

au sous-sol d'un grand magasin, papier à la main, en notant au fur et à mesure les références des objets...Au-delà de son cas personnel, pas très brillant sourit-elle aujourd'hui, Pauline se souvient d'un grand moment de sociologie, les couples errant, les femmes papillonnant, les hommes épuisés, les belles-mères mettant leur grain de sel...

Après ce dur moment, les jours et les mois passent et un bébé et un deuxième congé de maternité plus tard, c'est le déclic : fini le travail pour les ascenseurs, elle décide de mettre une croix sur ses six années passées chez Otis dans un environnement très masculin. Lui revient en mémoire le souvenir de la galère des listes de mariage et soudain c'est l'intuition : il y a certainement quelque chose à inventer. Un dîner entre amis achève de la convaincre. Après une solide étude de marché auprès de 200 couples (elle aussi est passée par HEC), elle lance, en mai 1999, son entreprise : 1 001 listes.

Son constat : les jeunes se marient de plus en plus vieux, les attentes ont changé. Avant, il fallait s'équiper, aujourd'hui il s'agit de se faire plaisir... Les désirs vont bien au-delà des simples services de table ou linge de maison. Les futurs mariés veulent de la déco, des tableaux, de la hi-fi, des voyages, de la brocante, des cours de cuisine, de l'œnologie...

Le principe du site 1 001 listes est futé : il s'agit de fédérer des centaines de boutiques de qualité, offrant tous les cadeaux possibles, partout en France, afin de permettre aux jeunes mariés de ne déposer qu'une seule liste.

Si TF1 a racheté le bébé de Pauline, fin 2006, le modèle économique reste celui d'une entreprise de service classique. « Nous achetons les cadeaux aux boutiques et les revendons avec une commission ». Le succès est vite au rendez-vous. « La première année, j'ai eu 5 listes, la seconde 100, la troisième 600. Aujourd'hui, nous sommes à 6 500 », me raconte Pauline en avril 2007.

1 001 listes emploie alors 80 personnes, dont 50 femmes, possède des showrooms (au Québec on dit des « salles de montre ! ») dans les 20 plus grandes villes de France et a ouvert un site internet qui joue un rôle très important. Simple vitrine au début, il attire désormais les trois quarts des visiteurs. « Au début, 20 % des consultations des listes se faisaient par internet, aujourd'hui ce sont 80 %, les 20 % restant se faisant par téléphone ou directement dans les showrooms », indique la jeune femme.

Sur le site, les internautes peuvent visualiser un nombre impressionnant de cadeaux, et avoir accès à de multiples services, des fiches thématiques, des conseils en ligne... « Depuis que toutes les générations se mettent à Internet, raconte Pauline, cela a changé notre mode de fonctionnement. Dans mon équipe, il y a de moins en moins de gens pour recevoir les mariés, et de plus en plus pour gérer les couples à distance. »

Au fil du temps, et grâce au net, l'activité s'est transformée. Son site s'est peu à peu mué en annuaire de références et portail de l'art de vivre. Dans un monde où la prescription est importante, Pauline et ses équipes sont devenues les expertes des jolies boutiques dans différentes villes. Elles ont lancé de nouveaux services, comme les cadeaux communs, et se sont aussi transformées en ce que l'on appelle en anglais des *wedding planners*, qui sont capables de vous livrer votre mariage clé en mains !

C'est ainsi que 1 001 listes se partage entre la « vie réelle », qui passe notamment par la participation aux quarante salons du mariage en France, et sa présence active sur Internet où un de ses concurrents solides est le forum mariage du site AuFéminin.com.

Si l'internet fait désormais partie intégrante de sa vie professionnelle, il aide aussi Pauline à faire le pont avec sa vie personnelle. « Sur le plan perso, je ne vois pas comment j'aurais pu faire sans internet. Je travaille le soir très tard ou le matin très tôt. » Pauline fait partie de ces millions de femmes qui continuent à travailler à la maison une fois les enfants couchés. Et à qui les outils numériques, loin de compliquer la vie, rendent au contraire un fier service. La messagerie est un outil essentiel pour rester connecté avec des femmes qui ne travaillent pas mais qui ont chez elle un accès internet. Non seulement, comme le disait Cécile, les TIC permettent à des femmes d'avoir une existence économique ou sociale, mais elles créent des passerelles entre les deux mondes du travail et de la maison.

À propos, l'emploi des mails par les femmes est-il différent de celui par les hommes ? Qu'en est-il de cette fameuse courtoisie digitale, dont Cécile s'est d'ailleurs fait l'apôtre dans son livre ? Y aurait-il une façon plus féminine de communiquer ? Oui, répondent sans hésiter plusieurs de mes interlocutrices. Non, ridicule, répondent les hommes en haussant les épaules. Il semble bien en tous cas que les femmes profitent davantage que les hommes de la messagerie pour s'envoyer des petits clins d'œil au bureau.

Mais comme le sujet reste délicat, mieux vaut le traiter par l'humour. C'est ce qu'avait choisi de faire avec talent Oriane il y a quelques années, alors qu'elle officiait régulièrement sur la chaîne de télévision *Paris Première*. L'une de ses chroniques dans l'émission Rive Droite Rive Gauche s'appelait *Le sexe des mails* : elle s'était inspirée d'études faites par une chercheuse américaine, Susan Herring. En voici un extrait assez savoureux qu'elle m'a permis de reproduire.

« Hommes et femmes sont différents, c'est évident, et c'est flagrant même quand ils avancent masqués derrière leur pseudo et leur clavier ! Ils ne se comportent et ne s'expriment pas de la même manière, et, au final, ils ne recherchent pas la même chose...

Les différences se situent à la fois dans le fond et dans la forme... et c'est gratiné !

Sur le fond tout d'abord : les femmes communiquent sur Internet pour communiquer, justement, elles sont dans l'échange, le social, le rapport aux autres. Les hommes eux, sont dans l'informatif, ils ne communiquent pas, ils déclarent...Les femmes attendent des réponses dont elles tiendront compte, les hommes s'en fichent, ils savent déjà tout. Du coup, les hommes pensent s'affirmer en affirmant, alors que les femmes préfèrent poser des questions ou faire des suggestions. Les diplomates "à mon sens...", "je pense que..." sont féminins, les directs "pas du tout !", "Exactement" sont de la catégorie "mâle dominant". » Sur la forme, notre amie Susan note des choses intéressantes : « L'interpellation, du type "Hein ? Quoi ?" est très appréciée des hommes, et c'est vrai que c'est assez malpoli... Les hommes abusent des abréviations (ASAP = as soon as possible, MORF = Male or female ?) comme s'ils utilisaient un langage d'initiés. Les femmes, quant à elles, multiplient les points d'exclamation de peur que leur ironie soit mal comprise... Les femmes multiplient également les lettres, elles vont écrire supeeeeeeeeeeeer avec plein de e, pour bien donner le ton ! Les hommes aiment le smiley clin d'œil, ironique, les femmes le smiley sourire qui adoucit un propos un peu abrupt (...). Au-delà du côté amusant de cette guerre des sexes numériques, cette étude scientifique met en lumière les différences fondamentales qu'ont les hommes et les femmes dans leur manière de se parler... Ce que l'on peut en retenir c'est que, du coup, sur Internet, souvent les femmes prennent des gants et les hommes des vestes... »

C'est certainement caricatural, et sans doute très américain. Mais le propos n'en est pas moins amusant !

Et c'est le cœur léger que je me dirige vers l'île de la conversation...

6.

L'île de la conversation...
et de la reconversion...

Je suis venue parler de mon étude sur les femmes et la révolution du numérique à un représentant de la gent masculine ; il m'écoute avec beaucoup d'attention et un brin de scepticisme. Pourquoi les femmes auraient-elles une approche du monde numérique différente de celle des hommes ?

Et puis tout à coup, lorsque je lui parle de l'importance des blogs, des réseaux sociaux et des espaces de dialogue que les femmes ont massivement investis, il s'anime et m'interrompt : « Ah oui, c'est vrai, les femmes sont des bavardes, plus bavardes que nous ! dit-il avec un petit sourire gourmand ! Voilà une différence ! »

Et le voilà parti... dans un long discours !

Pendant qu'il parle de la façon ancestrale et universelle dont les femmes papotent et sont naturellement à l'aise aujourd'hui sur les blogs et les forums, je repense à ce petit livre rapporté de Montréal, écrit par une jeune femme juive hassidique, qui apportait une vision si juste des communications féminines en marge du monde des TIC. Malka Zipora, épouse et maman d'une famille de douze enfants habitait sans doute à quelques mètres de chez nous, à Outremont. J'ai dû la croiser dans la rue, mais enfermée dans sa bulle hermétique aux *goyim*[1], elle ne m'aura pas regardée, et encore moins parlé...

Aux frontières du cyberespace, à l'aube de ce XXIe siècle numérique, elle vit encore certainement « les rideaux fermés sur le monde extérieur », comme elle l'écrivait en ce début d'été 2006 alors que je bouclais mes valises pour Bordeaux.

Elle a choisi d'entrouvrir les rideaux de sa maison dans un court recueil de nouvelles quotidiennes de sa vie : *Lekhaim ! À la vie*[2], dans lequel elle explique ce qu'elle appelle à Montréal le RTF, le *Réseau de télécommunication féminin*.

« Ce système naquit il y a des milliers d'années, quand la deuxième femme apparut sur terre. Ensemble, avec la première femme, elles ont imaginé un système infaillible et toujours aussi efficace, qui offre beaucoup plus d'avantages que n'importe quel ordinateur.

---

1. Les non-juifs.
2. *Lekhaim !* Chroniques de la vie hassidique à Montréal, Malka Zipora, Éditions du passage.

Tandis que la méthodologie de l'ordinateur s'appuie sur les règles de la logique et sur les équations, le Réseau de Télécommunication Féminin (RTF) dépend plutôt de "concepts" tels que les émotions, les goûts et les opinions personnelles, l'humour et la compassion, le tempérament et la température. [...] Les ordinateurs ne peuvent ni voir ni ressentir. Ce n'est pas en vous regardant qu'ils peuvent déduire si vous êtes mince ou obèse. [...] Les ordinateurs ne remarquent jamais vos cernes autour des yeux [...] Ils réagissent seulement lorsque vous appuyez sur une touche, et ils ne viennent pas à votre rescousse quand vous vous retrouvez seule devant une rangée de vis à la quincaillerie. [...]

Vous vous demandez comment fonctionne le RTF ? En voici un exemple parfait, dont j'ai été le témoin : j'attendais en file à la pharmacie pour payer. La file se transforma en un forum RTF dès l'instant où deux femmes entamèrent de profonds échanges. La première racontait les moindres détails des hauts et des bas des rénovations de sa cuisine. Un peu plus loin, derrière moi, un autre membre du réseau glanait des informations tout en relançant des idées. Ses propositions étaient si innovatrices que j'aperçus quelqu'un qui prenait des notes au dos de son ordonnance »...

En refermant le livre, je me suis dit que le RTF était universel. Je ressens parfois avec force l'austérité du monde informatique, même féminisé.

Comment faire passer des sentiments et des émotions ? Comment mettre un peu de douceur dans ce monde de *bits* un peu brutes ? Il y a bien les *smileys*[1], ou, comme le disait Oriane dans sa chronique, la façon de mettre des points d'exclamation, d'écrire supeeeeeeeeer ! Mais qu'est-ce en comparaison d'un geste, d'un souffle ou d'un regard ?

Comme disait Micheline, l'aînée de mes interviewées, « avant, pour les conversations, certes, on n'avait pas toutes ces facilités d'aujourd'hui. Mais vous aviez en face de vous le regard. C'est important le regard ». Aujourd'hui, vous répondront les mordu(e)s du net, vous avez le regard puisque vous avez la webcam ! Oui, peut-être, encore que cela ne soit pas pareil. On a la vision certes, mais a-t-on la profondeur du regard ?

La différence, c'est qu'aujourd'hui, la magie de ces nouveaux outils se joue de la nostalgie. Le face-à-face dans la vraie vie est impossible, et vous avez pourtant envie de vous parler tout de suite, de partager un sentiment, une émotion, un sujet de conversation ? Place à la webcam et à la messagerie instantanée, ou encore aux blogs, chats, forums ou wikis.

Certes, tout cela ne permet peut-être pas de sentir (en tout cas pas encore !) le parfum de l'autre, mais cela permet d'échanger, de partager, de se retrouver... À deux, à quatre, ou à des milliers...

---

1. Ou emôticone en français :-) sourire ;-) clin d'œil :-(tristesse.

C'est peut-être cela le RTF en ligne : une conversation d'un nouveau style et sur une nouvelle échelle, qui semble avoir particulièrement prospéré en France.

Car les chiffres sont là. Notre pays est le plus blogueur du monde. Bien loin devant les États-Unis et juste avant le Japon. À l'automne 2007, plus de trois millions de Français avaient déjà créé leur propre blog et plus de sept millions d'internautes en consultaient régulièrement !

Et les femmes sont plus blogueuses que les hommes (55 % des blogueurs sont des femmes alors qu'elles ne représentaient que 47 % des internautes en 2006, me rappelait notamment Cécile). Partager ses joies ou ses peines, ses angoisses ou ses interrogations, ses trucs et astuces... tout est possible sur les blogs féminins qui semblent fleurir tous les jours sur la toile.

Les femmes sont également plus présentes sur les forums où tous les sujets sont évoqués sans réserve, de la psychologie à la cuisine en passant par la sexualité, la maternité[1], la mode, la beauté, mais aussi les TIC et la politique, sans oublier ni l'amour bien sûr, que nous retrouverons sur la dernière île, ni le travail, qui occupe quand même la majeure partie de nos journées ! Ainsi Corinne par exemple a-t-elle eu la bonne idée de créer un blog[2] destiné au travail des femmes, pour leur permettre

---

1. http://www.parents.fr/ ?page=blogs
2. http://www.toutpourelles.fr/

de se retrouver entre elles, d'échanger leurs expériences. Tout en évoquant des sujets sérieux comme le harcèlement, les licenciements, et en leur prodiguant ses conseils en matière de management, de formation, de salaires...

Autre bonne idée, celle de Miss Hello[1] qui, pour que vous ne passiez pas à côté du dernier blog féminin en vue, a conçu un blog d'un type particulier, joliment baptisé le nuagedesfilles[2], qui réunit tous les liens vers des blogs de filles et offre même des interviews vidéo de ses blogueuses favorites !

Beaucoup de ces blogs vont au-delà du seul partage d'expériences ou de confessions en ligne, ou même de la promesse d'une seconde vie virtuelle. Ils sont en fait la porte d'entrée vers un autre monde réel, construit à partir de ces rencontres ou de ces idées élaborées sur le net. Je ne parle pas des sites de rencontres, mais bien des blogs personnels ou collectifs où les personnes se découvrent et dialoguent autour d'une thématique, puis se rencontrent dans « la vraie vie ».

C'est l'un des enseignements du sixième rapport du centre *digital future* que publie chaque année l'école Annenberg de l'université de South California. Pour la première année, les femmes ont été plus nombreuses que les hommes à se connecter. Et pour la première fois, le web émerge comme un phénomène social et personnel.

---

1. http://www.misshello.com/
2. http://www.lenuagedesfilles.com

« *Online communities leads to offline action* », indique le rapport, qui s'appuie sur l'étude de la même population d'internautes américains chaque année. Ce qui signifie que des liens se tissent désormais entre le virtuel et le réel, mais avec un changement de perspective. Avant, dans la première époque du net, on déclinait sur le web des activités créées dans la vraie vie. Aujourd'hui, ce sont souvent des actions ou des communautés nées en ligne qui précèdent les rencontres et les actions dans la vie réelle.

Une illustration : en écrivant ces lignes, je me connecte sur google, où je tape « blog de filles ». Je tombe sur une très longue liste d'adresses et je choisis au hasard la seconde, qui se présente comme « un blog pour les filles et pour les femmes, futile et sérieux, convivial et communautaire, légèrement obsédé par les produits de beauté, mais capable de... ». Le dernier billet en date est une invitation à une soirée troc dans la vraie vie, à Paris, dans le XVIIe arrondissement, la semaine suivante. La blogueuse[1] rappelle le principe de base de la soirée troc : « Le but est de donner (et non d'échanger comme le nom ne l'indique pas) des trucs de filles en très bon état et dont on ne veut plus. Fringues, chaussures, produits de beauté, accessoires, maquillage...tout doit être comme neuf, l'erreur d'achat étant le meilleur exemple de produit à soirée troc. Il faut être prête à donner ses affaires et éventuelle-

---

1. http://monblogdefille.mabulle.com/

ment à repartir les mains vides parce qu'on n'a rien trouvé à son goût. En même temps pour beaucoup c'est plus un prétexte pour rencontrer les autres, qu'une occasion de remplir ses placards gratos ;-) »

Belle illustration du rapport Annenberg, non ? Il y en a bien sûr de moins futiles, que nous retrouverons sur l'île de l'engagement...

On passe en fait très vite du virtuel au réel. Dans la vraie vie, la femme qui se cache derrière « monblogdefilles » s'appelle Hélène. Rien de plus facile que d'entrer en contact avec elle, grâce à la messagerie et de se parler ensuite... au téléphone. Première surprise, la voix. Une voix assez grave et profonde, qui contraste avec le ton léger du blog. Signe qu'une femme de tête, c'est comme cela que je le ressens, se cache derrière la futilité apparente des principaux sujets qui concernent plutôt, à première vue, la mode et le maquillage que la philosophie ou l'ethnologie. Au fil de la discussion et d'une investigation plus poussée, je m'aperçois que des sujets plus graves sont abordés comme tout ce qui peut faire progresser la cause des femmes.

Hélène fait aujourd'hui partie, comme Emily, de ces femmes qui peuvent, grâce aux recettes publicitaires, gagner correctement leur vie sur internet. Son blog n'a que deux ans, ou déjà deux ans plutôt, puisqu'en octobre 2005, quand elle lance ce blog de filles, elle fait figure de pionnière. Comme ses « consœurs culino-blogueuses » que je vous présenterai tout à l'heure, elle a eu une autre vie avant (elle, c'était le tourisme) et a commencé à surfer sur le forum de Marmiton[1], avant de se lancer dans l'aventure. Une aventure qui permet à la sauvage solitaire qu'elle est de mener aujourd'hui une vie très privilégiée, consacrée près de douze heures par jour (répondre à 150 messages en moyenne) à sa passion. Elle s'est fixé une règle : un billet par jour, et elle s'y tient depuis deux ans, tout en organisant aussi ses soirées trocs ! Cela a fini par payer, puisqu'une régie publicitaire l'a un jour contactée. Ses internautes, elle les materne comme une maman ou plutôt une grande sœur qui veille à donner les bons conseils, les bons plans, qui suit leurs conversations sur son blog, tout en les protégeant. Le tout à l'abri derrière son écran, avec l'immense privilège de sortir quand elle a envie de sortir, de ne plus subir les autres, mais de les choisir... Quelques semaines plus tard, je ferai sa connaissance « en chair et en os » au Sénat qui organisait une table ronde sur le thème des femmes et du numérique. Et je ne serai pas déçue.

Sur les blogs de filles, il y a certes des jalousies et des conflits, exacerbés par la concurrence et les antagonismes d'ego. C'est le reflet de la vraie vie, il n'y a aucune raison pour que la blogosphère soit à l'abri des mesquineries et des querelles de la vie réelle des filles ! Mais il semble aussi y régner un fort esprit communautaire et solidaire. On fait ainsi souvent, sur le blog de l'une, la promotion du blog de l'autre, car elles ont toutes compris que

---

1. http://www.marmiton.org/

l'audience crée l'audience. Et c'est tellement facile de vanter les mérites de sa voisine : il suffit d'un lien. C'est grâce au blog d'Hélène que je découvre celui de Caroline[1] (la première des blogueuses de mode en terme d'audience) et que je vais aussi papoter quelques instants avec Catherine[2], qui jongle sur son blog entre boulot, bouquin, bébé, avant, c'est promis, d'appeler Sophie, dont m'avait parlé Requia, que m'avait présentée Anne...

Le problème avec internet, c'est qu'on sait quand on commence à cliquer, mais on ne sait jamais quand on va s'arrêter. L'effet réseau est efficace, très excitant, mais totalement chronophage ! D'autant plus que les blogs ne sont pas les seules plates-formes de communication entre filles, et que l'effet « viral » peut fonctionner par d'autres moyens. Aux États-Unis, par exemple, c'est par le biais d'une lettre gratuite quotidienne[3], envoyée dans la boîte de près de trois millions de correspondantes que Dany Levy, ancienne éditrice du *New York Magazine*, a choisi de parler des dernières tendances, (tout ce qui est « *hip, hot, fun and undiscovered* ») qui font fureur dans douze villes du monde. L'effet viral marche puisque 67 % des abonnées à sa lettre la transfèrent à des amies et l'effet prescripteur est garanti puisque 72 %[4]

---

1. http://www.carolinedaily.com/
2. http://lemondedejuliette.over-blog.ne
3. www.dailycandy.com
4. Chiffres donnés par le Washington Speakers Bureau www.washingtonspeakers.com

achètent ensuite des choses qu'elles ont repérées dans la lettre ! Ce qui fait du site de la jeune américaine, *Dailycandy.com*, véritable phénomène du web féminin américain depuis son lancement en 2000, un espace particulièrement recherché par tous les annonceurs !

***

J'éteins mon ordinateur pour aller retrouver Sarah sur l'île de la conversation, où elle vient d'installer sa vie professionnelle dans les locaux très zen de Meetic.

C'est la nouvelle – mais sans doute pas la dernière ! – étape du parcours de cette jeune femme vive et fine, qui semble toujours sautiller dans la vie malgré le plomb qu'elle a dans la cervelle et ses trois bambins dans les jambes quand elle rentre à la maison !

Au fil de ses différentes expériences professionnelles, les cd-rom, puis Aufeminin, Elle.fr, et enfin Meetic, elle est devenue une fine analyste des conversations féminines sur les forums ou les blogs. Pourtant, elle était loin d'imaginer il y a quelques années quel serait son quotidien dans ce XXIe siècle digital.

« Je m'étais dit : il faudrait que je fasse quelque chose de ma vie quand j'aurai 20 ans », raconte Sarah, qui en a aujourd'hui un peu plus de 30.

Armée d'un solide bagage culturel – elle aussi est passée par hypokhâgne et khâgne –, délaissant le confort de son V^e arrondissement parisien et familial, elle décide de partir un an avec le garçon qu'elle épousera. Destination : un kibboutz en Israël, dans une usine de chasses d'eau ! Ensuite, cap sur Chicago pour une école de journalisme tout en passant par correspondance sa licence de lettres pour faire plaisir à ses parents. Retour à Paris pour la maîtrise, avant de tenter, avec succès, l'entrée à HEC. À la sortie, son profil atypique – elles ne sont que trois littéraires sur une promotion de 300 – intéresse et intrigue. Les entretiens se succèdent, mais elle ne s'imagine pas en chef de produit mascara chez l'Oréal ! C'est alors qu'un ami entrepreneur se lance dans une start-up, et lui propose de développer avec lui et un autre garçon une collection ludo-éducative de cd-roms. « Nous étions une bande de copains, il y avait une ambiance vraiment sympa, et de bonnes énergies. » L'aventure dure trois ans. Jusqu'à ce que deux révolutions bouleversent sa vie. La naissance de son premier bébé. Et la prise de conscience, alors que les cd-roms déclinent, du rebond d'internet. Le site Aufeminin.com fait ses premiers pas. Sarah appelle sa co-fondatrice, Anne-Sophie Pastel, qui lui propose de la rejoindre...

« Ce fut une double super aventure, se souvient Sarah. Participer à l'élaboration d'un projet tellement génial, qui marquera, parce que c'est le premier média féminin qui ait éclos en France et dans tous les pays européens. Et puis être dirigée par une femme, avoir été engagée enceinte, avoir toujours pu travailler à 4/5ᵉ de temps, je pense que cela n'aurait pas été possible dans un monde d'hommes... »

Presque sept ans de bonheur, dans un esprit start-up qui convient totalement à Sarah. Elle fait à peu près toutes les rubriques sur le site, des horoscopes aux *shooting* de défilés de mode, en passant par de multiples enquêtes, à un moment où les blogueurs et autres *netreporters* n'existent pas encore. La planète internet était alors regardée avec beaucoup d'étonnement et un peu de mépris... Il fallait y croire !

Sarah y croit, et prend conscience de l'impact sociologique extraordinaire d'internet et des forums. « Ce sont vraiment les salons de conversation. On y parle de façon anodine de sujets parfois difficiles. Quand nous faisions une enquête sur la sexualité féminine, nous pouvions toucher 30 000 femmes, de toutes les catégories sociales, et très vite ». La sexualité et la maternité sont deux des sujets favoris des conversations féminines, sans doute parce que les jeunes femmes et mamans d'aujourd'hui sont toutes issues de cette génération digitale. Parce qu'elles sont plus disponibles ensuite pour dialoguer en ligne, chercher des informations lorsqu'elles sont en congé de maternité que lorsqu'elles sont accaparées par leur travail, (même si le travail ne les empêche pas de surfer). Enfin, parce que – et cela ne date pas de la génération digitale –, lorsque l'on attend un bébé, on a vraiment envie de partager cette expérience unique, avec ses enthousiasmes et ses craintes. « Ce qu'il y a de bien avec les forums, ajoute Sarah, c'est que l'on peut vivre la même chose au même moment. Par exemple, quand on est enceinte de trois mois et demi et que l'on veut partager son expérience... Et bien dans la vie réelle, on parle avec ses copines, celles qui ont été enceintes, ou celles qui le sont aussi, mais pas forcément au même stade que vous. Avec les forums, on peut se retrouver avec 200 femmes qui en sont exactement au même point, on peut échanger sur des détails très concrets, très précis et avec des expériences différentes... »

C'est la magie de ces outils, un mélange de proximité (par la mise en relation quasi-directe) d'ouverture (avec la possibilité de parler avec des centaines d'inconnus) et d'anonymat, qui permet d'évoquer tous les sujets, même les plus tabous.

Les forums sont alors un moyen très efficace de capter les aspirations des femmes, et d'y répondre. « Grâce à eux, on est capable de dire : à l'instant T, voilà ce qui marche, voilà ce qui intéresse les femmes, voilà ce qu'elles veulent. »

Ce qu'elles veulent, c'est bien sûr plus qu'une plate-forme de discussions ou de rencontres. C'est un espace dédié à leurs multiples passions et à leurs multiples besoins, toutes les études montrant qu'elles cherchent surtout ce qui peut leur faciliter la vie. Et l'agrémenter. Sarah, qui réfléchit aujourd'hui chez Meetic au contenu éditorial du site, sait bien que les intérêts des femmes sont multiples et variés. Et que chaque femme vit son internet.

Le soir quand les enfants sont couchés, elle va sur le web pour faire ce qu'elle n'a pas eu le temps de faire dans la journée et n'aura sans doute pas le temps de faire demain. Elle s'assoit devant son ordinateur et elle rêve. Elle rêve aux voyages qu'elle aimerait faire en cliquant sur *Last minute*. Elle visionne les bandes annonces des films qu'elle n'aura pas le temps de voir. Elle écoute quelques notes de la *Traviata* sur le site de l'Opéra de Paris... Et si c'était cela aussi l'internet : une façon de multiplier sa vie par dix, avec de multiples échantillons de plaisirs !

Mais c'est bien autre chose encore, et Sarah revient sur ce que peuvent y faire les femmes : exposer leurs talents par exemple. « C'est tellement féminin de savoir faire plein de choses à la fois »... Les blogs peuvent servir de vitrine pour exposer tous ces talents, et pourquoi pas, devenir de super-cv interactifs qui vont donner envie de rentrer en contact avec leur auteur. Exposer ses talents, les partager, les rentabiliser parfois, et voici que l'île de la conversation se mue en île de la reconversion...

***

S'il y a un talent qui s'expose beaucoup sur Internet, c'est bien la cuisine. Sans doute pensiez-vous que l'écrasante majorité de nos chefs toqués étaient des hommes ? C'est vrai, notamment parce que les contraintes de ce métier sont lourdes. Mais sur la toile, c'est le contraire ! Des milliers de femmes talentueuses exposent leurs recettes et partagent leurs petits trucs avec les internautes. À tel point que la cuisine est devenue la première thématique des blogs.

Pourquoi un tel succès ? Certes, la gourmandise est un péché capital unanimement répandu. Et la facilité déconcertante offerte par un blog – un ou deux clics, et hop des milliers de recettes dans votre assiette ! – est un élément clé du succès, notamment auprès des femmes. Mais je pense que cela va bien au-delà. Les blogs de cuisine sont au cœur de cette révolution numérique. Ils sont l'expression même de tout ce qui est en train de bouleverser notre société. D'abord la mondialisation qui, parce que l'on en voit principalement que les effets négatifs, a tendance à faire peur. La cuisine, un peu comme la musique d'ailleurs, est le visage heureux de cette mondialisation. Pouvoir mettre en ligne des recettes du monde entier, issues de cultures différentes, les échanger, les partager est sans doute la meilleure façon de se connaître et d'accepter les différences qui séparent les peuples.

Ensuite, si les blogs de cuisine proposent de partager des recettes avec l'autre bout du monde, ils permettent aussi de découvrir son voisin d'à côté, et de stimuler les retrouvailles familiales ou amicales. C'est aussi une des caractéristiques de notre société d'aujourd'hui, mondialisée, éparpillée, mais en quête de retrouvailles, de partage. Et ce sont souvent les femmes qui réunissent autour d'une table, à la maison tous les soirs, ou le week-end avec des amis, les uns et les autres autour d'un plat. Finalement, et en écho au rapport Annenberg, les blogs de cuisine sont peut-être le meilleur moyen de relier le virtuel au réel. Car quoi de plus excitant, après s'être léché les babines sur internet, que de retrouver la bonne chère autour d'une vraie table ? Et avec des personnes en chair et en os.

Toutes les blogueuses de cuisine que j'ai rencontrées me l'ont dit. Depuis qu'elles ont commencé, leur réseau relationnel s'est considérablement étendu et le besoin de se voir en vrai a été décuplé. J'en ai moi-même été le témoin au cours d'un déjeuner où j'avais convié quelques-unes de ces blogueuses, qui ne se connaissaient pas avant leur arrivée en ligne. Il y avait là Mercotte, Estérel, Claire, Requia, et Anne qui avait organisé la rencontre. Aujourd'hui, elles sont devenues de vraies amies, qui ont peu à peu constitué une communauté très sympathique et sont souvent invitées ensemble à des présentations ou expositions. Parfois ces communautés, créées d'abord en ligne, restent séparées de l'autre vie, la première. « Mes amies d'avant, racontait l'une d'entre elles, n'aimaient pas la cuisine, donc je n'en parlais pas avec elles, et j'étais un peu triste de ne pas pouvoir partager cette passion. Maintenant, j'ai ce nouveau réseau d'amies de la cuisine, qui s'ajoute à mon premier réseau d'amies, mais ne s'y superpose pas. » Parfois au contraire, les deux réseaux se rejoignent et s'enrichissent.

Maman pleine de vie de deux jeunes enfants, Anne est la première de mes rencontres culinaires. Intriguée par un entrefilet dans le journal local qui vantait le succès de son blog au nom très alléchant : *Papilles et pupilles*[1], je suis un jour allée sonner à la porte de cette parfaite illustratrice de mon île de la conversation-reconversion !

Car il y a quelques années encore, Anne était très loin d'être une experte en cuisine. À Vichy où elle grandit, sa famille n'est pas spécialement gastronome, et elle n'a pas encore croisé le chemin de son époux, et de sa belle-mère landaise, élevée au foie gras. Sa vie professionnelle, après une école de commerce, débute plutôt du côté du vin puisqu'elle travaille chez un négociant. Ce n'est qu'à l'arrivée de son premier bébé que sa vie commence progressivement à changer. Élever un enfant en bas âge avec un travail prenant est toujours un casse-tête pour les femmes. C'était la course sans arrêt, pour arriver la dernière chez la nounou et récupérer sa petite fille. Évidemment, « je culpabilisais, j'étais toujours en flux tendu. J'ai arrêté de travailler pour m'occuper de ma fille et puis le petit frère est arrivé. J'ai pris un congé parental jusqu'à ses trois ans ».

Au moment où son fils s'apprête à aller à l'école, elle découvre qu'il souffre d'une allergie

---

1. http://papillesetpupilles.blogspot.com/

alimentaire. « Ce qui signifie pas de cantine. Donc pour moi, le retour au boulot s'annonçait difficile », se souvient-elle aujourd'hui. Le travail à temps partiel ne l'attire pas vraiment. « Je me suis dit qu'il fallait que je trouve un truc pour ne pas devenir dingue ».

Heureuse coïncidence, nous sommes en 2001, l'ADSL[1] fait son entrée dans sa vie. Tout se conjugue alors. Son envie, intacte, de faire quelque chose de ses dix doigts et de retrouver une place sociale après ces années d'interruption ; le désir d'en savoir plus sur les allergies alimentaires et les recettes compatibles avec elles ; la possibilité de surfer plus facilement.

« J'ai commencé à aller sur des forums de cuisine, pour discuter, me renseigner. Et puis de fil en aiguille, j'ai créé un petit site perso sur free et puis les blogs sont arrivés, et j'ai décidé de créer le mien, en juin 2005, comme plusieurs copines croisées en ligne sur les forums. »

Elle a la bonne idée alors de s'inscrire sur un agrégateur de blogs de cuisine, dont le but est de centraliser et de mettre en valeur tout ce qui circule sur le web en matière de cuisine et aussi de signaler chaque nouvel article écrit sur un des blogs inscrits.

L'effet solidarité entre copines combiné aux prouesses technologiques va vite donner à son blog une visibilité dont Anne n'aurait jamais pu rêver.

---

1. *Assymetric Digital Subscribe Line* : le haut debit *via* la ligne téléphonique.

Chaque blog de cuisine ou presque a sa propre identité, reflet de la personnalité ou des préoccupations de son auteur. La spécialité d'Anne, c'est bien sûr l'allergie alimentaire et elle fera vite de cette thématique une sorte de blog dans le blog. « On me pose des questions, on me demande où trouver tel ou tel produit. En fait on est content de rendre service. Parfois je lance moi-même des avis de recherche ».

Mais très vite, elle multiplie ses centres d'intérêt culinaires, et dépasse même le domaine de la cuisine pour livrer ses coups de cœur au jour le jour, ses découvertes insolites dans la ville, ses rencontres, ses nouvelles adresses. Mais aussi les causes qu'elle défend, comme l'écologie ou la *néthique*. La rubrique papotage de son blog n'est pas la moins visitée, tout comme celle des photos prises de sa fenêtre. « C'est un coin de femmes, à partir de la cuisine, sur tout un tas de sujets de discussion féminine. »

Surtout, elle trouve un ton à la fois simple et plein d'humour pour trousser ses recettes et ses découvertes qui vont vite faire un tabac ! Ses six à sept heures de travail quotidien (lire tous les messages, y répondre...) sont récompensées par les 4 000 visiteurs par jour qui lisent en moyenne trois pages par consultation. « 80 % sont des internautes français, mais il y en a aussi qui surfent de l'étranger. Il y a tous les milieux sociaux, toutes les religions. On passe de la cuisine traditionnelle française à la cuisine juive du Moyen-Orient, il y a des plats cashers et des pâtisseries marocaines... » Les demandes sont multiples, il faut à chaque fois se creuser la cervelle. Ce matin, ce n'était pas trop compliqué. Une internaute du Vénézuéla lui demandait comment faire des macarons. Des recettes de macarons, elle en a des dizaines sous la main, et surtout une amie blogueuse grande spécialiste, Mercotte, à portée de clic. Mais une autre lui demandait des idées de recettes pour un dîner sur le thème du diamant ! Aussitôt dit, aussitôt retrouvée la recette du *sablé diamant*, biscuit roulé dans le sucre cristallisé qui brille... comme un diamant !

Heureusement les copines ne sont pas loin sur la toile et, très souvent, elles s'inspirent les unes les autres et les recettes se multiplient ainsi à un rythme hallucinant. Leur audience croissante n'a bien sûr pas échappé aux marques qui depuis quelques années ont intégré les blogs dans leur politique de marketing et de communication. Soit en créant elles-mêmes des blogs de marque, soit en communiquant sur les blogs existants. C'est ainsi qu'Anne et ses amies ont toutes reçu un jour un produit à tester ou à goûter dans l'espoir, bien sûr, qu'elles en parlent sur leurs blogs. Certains partenariats se sont ainsi lancés, mais soucieuses de leur liberté et de leur indépendance, elles semblent avoir choisi à peu près toute la même attitude. « Tester une soucoupe ou une machine à pain ou goûter des tablettes de chocolat, imaginer des recettes à partir de tel ou tel produit, pourquoi pas... Si c'est bien on en parle, si on n'aime pas, on n'en parle pas. » Et surtout, elles préviennent leurs internautes dès qu'un commentaire ou un billet sur leur blog est lié à une marque.

Ce rôle de « prescriptrice », ce micro-pouvoir, elles ne l'avaient pas du tout prévu au départ. Certaines d'entre elles écrivent aujourd'hui des piges de cuisine dans des magazines ou des livres de recette, comme Mercotte ou Estérel. Certaines organisent des cours ou des stages de cuisine dans leur maison. Certaines écrivent des billets d'humeur sur de grands portails internet... Si l'Internet a changé le cours de leur vie, elles ont toutes à cœur de garder intact l'esprit de départ de ces blogs : un mélange de liberté et d'indépendance, de partage et de convivialité, qui permet parfois de faire des choses formidables. Ainsi Requia par exemple, très heureuse en ce début d'automne du succès de la chaîne rose, un si bel exemple de ce que la solidarité féminine peut faire de bien pour une belle cause : la lutte contre le cancer du sein. Tout a commencé par une conversation avec une de ses amies, plume du blog d'un grand laboratoire français qui souhaitait investir dans le versant humain de la médication et aider les femmes atteintes de cancer à vivre leur féminité[1]. Le rose symbolisant la lutte contre le cancer, Requia

---

1. http://www.femmesavanttout.com/

propose à son amie Sophie, afin de relayer son action, de créer une recette rose. Ses copines blogueuses (Anne en tête !) lui emboîtent le pas, les internautes également et très vite des centaines de recettes roses affluent. La chaîne de recettes roses est lancée. Plutôt que de publier un livre des recettes roses, Requia et Sophie ont l'idée de réunir les recettes dans un e-book que les internautes vont pouvoir télécharger gratuitement. Chaque fois que l'internaute télécharge une recette, le laboratoire donne un euro à l'association *Le cancer du sein parlons-en*[1]. Le succès est immédiat, et fait briller les yeux de Requia, une des pionnières des culinoblogueuses, qui travaille aujourd'hui... à *l'Atelier des chefs* !

Là encore, l'Internet a converti cette trentenaire née au Maroc qui n'imaginait pas, il y a moins de dix ans, devenir une référence en la matière.

Pourtant, et contrairement à Anne, Requia a toujours adoré la cuisine. Sa maman cuisinait tous les jours de bonnes recettes de couscous, tajines, pastillas...et, seule fille au milieu de quatre frères, la petite fille adorait l'aider en rentrant de l'école. Cuisiner, et aussi dresser les assiettes, décorer les plats, cela devient vite une vraie passion pour Réquia qui continuera, étudiante puis adulte, à inventer des recettes marocaines ou occidentales pour régaler tous ses amis. En marge de son travail

----

1. http://www.cancerdusein.org

(chez un producteur de *post-it*, puis chez un grand maroquinier) elle commence à classer et stocker toutes ses recettes sur son ordinateur. Très tôt adepte des nouvelles technologies – elle se souvient d'avoir eu un *bi-bop*[1] –, elle profite vite des facilités d'Internet pour envoyer par mail ses recettes et participe naturellement, dès qu'ils arrivent sur la toile, aux forums de cuisine. Les blogs n'existent pas encore en France, mais elle visite ceux nés dans les pays anglo-saxons. Et à Noël 2004, une amie lui offre...ce qu'elle appelle une « carcasse de blog », avec juste un cadre et son prénom dans le titre... en lui faisant promettre de le nourrir de recettes pendant au moins un an pour que toutes ses amies en profitent. En même temps, son frère lui offre un appareil photo numérique. C'est parti[2] pour le blog ! Cette année-là, elles ne seront guère que cinq ou six à se lancer (avec un homme dans le lot !). Les mêmes décident de créer l'agrégateur[3] qu'Anne découvrira quelques mois plus tard.

Plus question désormais de cuisiner deux fois de suite la même chose. Le blog va obliger Réquia à stimuler son imagination pour trouver chaque jour une nouveauté à raconter. Son créneau à elle, qui doit gérer en même temps son travail, les devoirs de la fille de son compagnon et leur bébé

---

1. bi-bop : ancêtre du téléphone mobile qui fonctionnait près d'une borne dans Paris.
2. http://requia.canalblog.com/
3. http://www.blog-appetit.com/

chez la nounou, est celui de la fille super-occupée (comme nous toutes !) qui va trouver malgré tout une idée géniale pour le dîner du soir. Si elle est toujours experte en cuisine orientale (en proposant de nombreuses recettes pendant le Ramadan), elle devient également la « pro de la cuisine du placard » ! Et truffe chacune de ses contributions de mille et une tranches de vie, car derrière chaque recette, il y a toujours une histoire ! Comme cette recette framboise et asperge qu'elle imagine un jour dans le métro en entendant une conversation entre deux jeunes qui s'invectivent, l'un traitant l'autre de grande asperge, la fille lui répondant de ne pas trop ramener sa fraise !

***

Si la cuisine est le meilleur moyen de traverser les frontières et de rapprocher les femmes de tous les pays, il est des circonstances où, même avec le meilleur plat du monde dans son assiette, on peut, lorsque l'on est expatriée, se sentir désemparée. J'ai souvent eu l'occasion, lorsqu'Alain était ministre des Affaires étrangères, de croiser des communautés de femmes françaises expatriées. Si les expériences étaient souvent intéressantes, la solitude le disputait parfois à la nostalgie. Aujourd'hui, à l'heure où la mondialisation bat son plein et avec elle les délocalisations ou tout simplement les affectations à l'étranger, le phénomène a pris une toute autre ampleur. Certes, c'est encore – comme j'en ai fait récemment l'expérience au Canada – l'occasion d'un enrichissement personnel et culturel. Mais j'ai conscience d'avoir eu beaucoup de chance et je sais que la découverte d'un nouveau mode de vie dans un nouveau pays sous un nouveau climat est souvent un parcours du combattant.

Et si la planche de salut, une fois de plus, était une planche de surf ? Féminine de surcroît ! C'est à Mexico, où elles vivent toutes les deux, après plus de 20 ans d'expatriation que Jill la californienne et Andréa l'Australienne ont eu l'idée de créer un site destiné aux femmes expatriées[1]. Lancé il y a un an à peine, *expatwomen*, est un vrai site qui abrite également un blog. Les deux femmes ont créé une société et un portail sur le web extrêmement riche et passionnant, destiné à faciliter la vie de millions de femmes nomades de par le monde.

Ce qui m'a plu d'emblée dans leur démarche, au-delà de l'aspect « conseils pratiques », déterminant bien sûr pour les femmes concernées, c'est l'espace de conversation féminine planétaire que Jill et Andréa ont réussi à bâtir. Sur le site, les visiteuses sont invitées à raconter leur histoire, et chaque mois, les internautes votent pour élire la meilleure. Chaque mois également, le *mentor of the month* est sélectionné, une sorte de marraine qui

---

1. http://www.expatwomen.com

apporte son témoignage, donne ses conseils ainsi que la liste de ses sites favoris. Certes, il n'y a pas que les femmes qui sont expatriées, mais c'est à elles que Jill et Andrea ont choisi de s'adresser.

Parce qu'elles savent de quoi elles parlent, qu'elles ont eu chacune à résoudre les mille et une difficultés auxquelles sont confrontées leurs internautes. Mais aussi parce qu'il y a une façon féminine de partager ses expériences et de donner ses conseils de vie quotidienne. C'est la raison pour laquelle je voulais terminer avec elles mon tour de l'île de la conversation. Je ne les connaissais pas il y a quelques mois, et c'est une amie anglophone expatriée à Bordeaux qui m'a donné un jour l'adresse de leur site qui faisait ses premiers pas sur l'Internet.

Au hasard, j'ai choisi d'envoyer un mail à Jill, bercée sans doute par l'illusion que la Californie était plus proche de Paris ou Bordeaux que l'Australie ! Sa réponse n'a pas tardé, dans laquelle elle me disait que nous avions dû nous croiser l'année précédente à Mexico. Comme le monde est petit nous sommes-nous dit d'abord banalement, en guise d'introduction.

« Nous voulions aider les autres femmes à créer un réseau avec les autres expatriées pour leur rendre la vie plus facile dans leur nouveau pays ou nouvelle destination », a-t-elle enchaîné.

Il ne suffit pas d'avoir une bonne idée. Encore faut-il être capable de la réaliser, ce qui, compte tenu de tout ce que veulent faire Jill et Andréa, n'est pas une mince affaire. Mais Jill a de l'expérience puisqu'elle a commencé, dès 1994, à développer un site internet pour la société dans laquelle elle travaillait. Elle se plonge alors dans le langage HTML et acquiert dès cet instant la conviction que « les femmes sont tout à fait capables de s'engouffrer dans ce nouveau monde si elles ont un vrai projet créatif ».

De fil en aiguille, Jill décide de se consacrer exclusivement à Expatwomen qui devient le cœur de sa vie professionnelle. Ce qui la fascine aujourd'hui, c'est de créer des partenariats avec des gens qu'elle n'avait jamais rencontrés physiquement auparavant.

L'internet n'occupe pas que sa vie professionnelle, puisqu'elle l'utilise quotidiennement dans sa vie personnelle ainsi que dans celle de ses jeunes enfants. Là aussi, elle a un très fort taux de satisfaction, les enfants étant ravis d'avoir une maman si *cool* et si douée avec Internet, et capable de leur installer des jeux sur l'ordinateur. De son côté, Jill est contente que ses enfants aient compris que les jeux ne sont pas la seule activité à pratiquer en ligne et que l'Internet peut aussi être utilisé pour les études !

Au fil des échanges par mail avec Jill, je me rends compte que, tout comme elle a vagabondé dans de nombreux pays dans sa vie réelle, elle se promène d'île en île dans mon récit. Sur l'île de la transmission, elle guide ses enfants dans le labyrinthe de ce monde numérique qu'ils découvrent. Sa formation initiale lui a donné de quoi « transmettre ». Elle est indéniablement chez elle sur l'île du business, vivant désormais des recettes publicitaires de son site. Sur l'île de la conversation, elle s'épanouit dans un monde de relations naturellement dispersées sur tout le globe. Et ce qu'elle me dit ensuite sur la place des femmes l'emmènera avec moi sur l'île de l'engagement...

Je quitte Jill ragaillardie par cette éternelle optimiste de la révolution numérique, qui croit dur comme fer à la complémentarité hommes-femmes : « Nous commençons à réaliser qu'en travaillant ensemble, hommes et femmes, nous pouvons faire un monde meilleur. Les femmes sont plus ouvertes aux idées des autres. Je pense que nous allons voir des avancées incroyables en matière de technologie et la façon dont nous allons avoir accès à tout cela sera fondée sur des idées et des innovations de femmes ».

C'est sans doute parce qu'elle a vécu dans des pays aux cultures diverses, où la femme a un statut différent, qu'elle mesure mieux que d'autres tout l'intérêt que peut offrir l'Internet pour les femmes. Certes, sa vision est sans doute un peu trop optimiste quand elle me dit que l'Internet « est une source absolument incroyable d'information, une encyclopédie en ligne qui ne fait pas de discrimination entre les minorités ou envers les femmes ».

La censure sur internet qui sévit dans certains pays non démocratiques tempère bien sûr cet enthousiasme. Même s'il est quand même plus difficile de faire taire un site qui renaîtra rapidement ailleurs que de ligoter la presse ou les médias traditionnels. Mais Jill a raison lorsqu'elle invoque la multiplicité de points de vue qui peuvent s'exprimer sur internet. « Sur internet, je peux lire de multiples articles sur le même sujet avec des dizaines de points de vue différents. Tout le monde a le droit d'accéder et de mettre des informations en ligne, sans que personne ne sache qui est derrière l'écran. Pour les femmes qui vivent dans des sociétés dominées par les hommes, et où l'information ne leur arrive pas librement, cela peut être un vrai outil de libération qui va leur donner accès à l'information. Elles vont pouvoir découvrir qu'il y a d'autres façons de vivre dans le monde ».

***

Avant de quitter l'île, au détour d'un chemin, un peu par hasard, je découvre un blog qui vient de s'y installer, ou plutôt qui vient de se rebaptiser *Conversations with Dina*[1]. Il s'agit du blog d'une jeune femme indienne brillante, conviée à ce titre à la troisième édition du Women's Forum à Deau-

---

1. http://dinamehta.com/

ville. Anthropologue et sociologue de formation, Dina est devenue depuis quelques années une des expertes du web social, capable d'évaluer l'impact sur les sociétés de tous les nouveaux outils numériques collaboratifs comme les blogs, les podcasts, les wikis, les réseaux sociaux comme *Facebook* et autre *twitter*. En surfant sur ses « conversations », je m'aperçois qu'elle est sans doute une des spécialistes les plus optimistes que j'ai trouvées sur ce monde, convaincue qu'il y a en fait souvent plus d'authenticité, plus de vérité dans le monde en ligne que dans la vraie vie. Loin des considérations négatives, voire alarmistes des détracteurs de ces nouveaux mondes virtuels, qui considèrent au contraire que l'anonymat du web est forcément synonyme de mensonge voire de perversité. Il est vrai que Dina a de bonnes raisons de voir la vie en ligne en rose. Et de baptiser tous ces outils numériques sociaux « technologies du cœur ». Parmi les dizaines de projets qu'elle a conduits ou accompagnés en ligne, elle est à l'origine du site qui s'est ouvert au moment du tsunami en décembre 2004[1] et qui en moins d'une semaine a suscité plus d'un million de visites. Et beaucoup d'émotion.

Pour sceller mon départ de l'île de la conversation, je vous livre cette phrase de Maupassant, qui souligne chaque page de son nouveau blog : « Converser, qu'est cela ? Mystère ! C'est l'art de ne jamais paraître ennuyeux, de savoir tout dire

---

1. http://tsunamihelp.blogspot.com

avec intérêt, de plaire avec n'importe quoi, de séduire avec rien du tout. Comment définir ce vif effleurement des choses par les mots, ce jeu de raquette avec des paroles souples, cette espèce de sourire léger des idées, que doit être la conversation[1]. »

---

1. Extrait de *Sur l'eau*, récit de voyage (1888). http://hypo.ge.ch/athena/selva/maupassant/textes/surleau.html

7.

L'île de l'engagement

La toile peut être un nouvel espace de liberté pour les femmes. Un outil de militantisme aussi. Un moyen de se rassembler pour défendre une même cause. Les initiatives en ce sens se comptent par milliers sur la toile. Dans tous les pays, sur tous les continents, les femmes ont compris à quel point les TIC pouvaient les aider. Chaque pays a sa culture, ses traditions, son niveau de développement et de démocratie. La fracture numérique de genre n'est pas uniforme. Parfois, comme en Afrique, il s'agit de donner le moyen aux femmes de gagner leur vie en créant des activités sur le réseau, comme nous l'avons vu sur l'île du business. Ailleurs, il s'agit davantage de contourner la censure et d'utiliser Internet comme un espace de résistance. Ce que vont faire soit des journalistes, plus à l'abri sur la toile que dans leur media traditionnel, soit de simples internautes, souvent des femmes, qui vont découvrir là un terrain d'expression inédit.

L'exemple le plus frappant dans ce domaine est sans doute celui de l'Iran où une sorte de société parallèle s'est progressivement construite depuis 2001, grâce à l'unicode[1] qui a rendu possible l'utilisation du persan sur internet. Et ce sont les femmes qui l'ont bâti. On l'appelle le *Bloguistan*, le pays de la blogosphère iranienne. Un pays où près de 700 000 femmes cliquent à l'abri de la censure, des arrestations, des coups de matraque, et des convocations au tribunal. Et où elles parlent sans tabou du régime ou de la sexualité. En avril dernier le *Figaro*[2] a publié un article particulièrement passionnant sur le Bloguistan, dont voici un court extrait :

« C'est en se passant des messages sur Internet que les Iraniennes fans de foot, interdites de stades, réussirent, l'année dernière, à organiser clandestinement des manifestations et à se glisser dans les gradins. [...] C'est aussi par le biais d'une gigantesque pétition électronique que les féministes ont lancé la campagne "Un million de signatures" réclamant l'abolition des discriminations dont elles sont

---

1. Unicode est une norme informatique, développée par le *Consortium Unicode* : "http://fr.wikipedia.org/wiki/Consortium_Unicod, qui vise à donner à tout caractère de n'importe quel système d'écriture de langue un nom et un identifiant numérique, et ce de manière unifiée, quelle que soit la plate-forme informatique ou le logiciel.

2. « En Iran, les femmes investissent le Bloguistan. » Delphine Minoui, publié le 28 avril 2007.

victimes. [...] Mais la magie du blog en Iran ne s'arrête pas là. Dans un pays dominé par la morale islamique et par des mœurs patriarcales, il sert souvent d'exutoire aux Iraniennes d'en bas, celles qui n'appartiennent ni à un groupe politique d'opposition, ni à une association de défense des droits de la femme. Avec un sacré avantage : l'anonymat [...] »

Hasard ou coïncidence. Quelques jours plus tard, en mai, je lis sur le site de *Buddhachannel*[1] qu'un café internet réservé aux femmes venait d'ouvrir à Téhéran. Officiellement, il s'agit de « créer une atmosphère propice » à la jeunesse iranienne, explique l'agence de presse iranienne Mehr, qui invoque l'atmosphère « non convenable pour les filles » de la plupart des cafés internet. Haut débit et cours gratuits d'initiation à Internet seront accessibles. Mais est-ce suffisant pour rendre dociles les internautes iraniennes, se demande la journaliste de *Buddhachannel* ?

***

Il n'y a pas que dans les pays où leur liberté est menacée que les femmes militent sur Internet. Il n'y a pas que la cause des femmes qui les motivent. Et il n'y a pas que les sites, les forums ou les

---

1. http://www.buddhachannel.tv/

blogs qui leur permettent de s'exprimer pour défendre leurs idées. Il y a d'autres espaces, aux frontières du réel et du virtuel, souvent en 3D, dans lesquels on pénètre avec une nouvelle identité, une nouvelle apparence. On paie ce que l'on y consomme avec une monnaie fictive – mais qui débite votre compte bien réel ! – et parfois... on y vole. Avec des ailes !

Cette nouvelle dimension de l'internet, qui se décline désormais en plusieurs *univers virtuels persistants*[1], recèle, comme le web, le pire et le meilleur...

On peut y trouver des choses qui font frémir, d'autres qui font sourire, des choses qui font envie, et d'autres enfin qui font rêver. Pour être tout à fait franche, et même si je suis tout sauf une experte en la matière, je pense que les belles choses, au sens de l'engagement puisque c'est sur cette île que j'ai atterri avec vous, y sont plus rares que les autres. Plus rares, donc plus précieuses...

Sur Second Life par exemple, qui se définit comme un monde numérique en 3D créé par ses résidents, on peut se contenter de se promener, mais on peut aussi construire, ou plutôt *terraformer* sa maison ou son propre espace. On peut installer sa société, son ambassade ou sa galerie d'œuvres d'art, donner des cours ou des conférences, et même faire grève. Ils sont plusieurs millions d'internautes à avoir franchi le pas.

---

1. http://secondlife.com. http://www.hipihi.com/ et beaucoup d'autres...

Mais la première association à avoir planté son drapeau sur le Second Life a été celle d'une jeune femme, Natacha. Les Humains Associés, association à but non lucratif née en 1984, renaît ainsi en février 2007 sous l'apparence de l'île verte dans Second life. L'humanisme à l'ère numérique. Une île sur mon île !

Il fallait donc que Natacha soit ma première rencontre !

Dans la vraie vie, cette rencontre eut lieu au bar d'un grand hôtel parisien.

Elle a posé sur la table devant nous un drôle de téléphone avec un clapet qui bougeait dans tous les sens et dont j'ignorais alors le rôle fondamental qu'il joue aujourd'hui dans sa vie. Et nous avons commandé un thé.

J'observe cette jeune inconnue pétillante, au charme un peu étrange, à la fois discrète et volontaire, qui semble nager comme un poisson dans un océan numérique peuplé de mots et de sigles tous plus mystérieux les uns que les autres pour la profane que je suis encore : videoblog, moblog, wifipicning, flashmob, néthique, facebook, twitter, widget...

Il va me falloir quelque temps pour décrypter l'univers de cette trentenaire à la longue et épaisse chevelure brune, dont l'objectif est, si j'ai bien compris, de continuer avec d'autres moyens médiatiques, l'aventure commencée il y a plus de vingt ans à Paris.

En 1984, Natacha est encore une petite fille lorsque sa maman Tatiana lance les Humains Associés, pour promouvoir l'humanisme sous toutes ses formes : poésie, arts, philosophie, écologie, société, conscience planétaire...Tatiana embarque ses enfants, Natacha et son frère Sacha, dans son aventure humaniste et vingt ans plus tard, leur complicité familiale reste totale.

Natacha sera de tous les combats, dont les plus médiatiques sont des campagnes de sensibilisation. La tolérance, l'écologie, l'amour sont des thèmes récurrents de ces opérations : « L'homme est unique, ne le gâchons pas », « Et si on parlait d'amour », « Aux âmes citoyens », « Aimé soit qui terre y pense », s'étalent en lettres blanches et noires sur les murs du métro parisien et dans de grandes villes de France.

Le 26 août 1989, lors de l'inauguration de la grande arche de la défense, Natacha lit un article d'une nouvelle *Déclaration des droits et devoirs de l'être humain pour le troisième millénaire*, proposé par les Humains associés et une association d'étudiants.

Ses premiers pas sur Internet, la jeune fille les fait en 1995, grâce à l'INA[1], qui propose d'héberger les publications des Humains Associés sur son serveur. Et c'est tout naturellement que l'association installe ensuite son propre site sur la toile. Entre temps Natacha a grandi et devient la première jour-

---

1. Institut National de l'Audiovisuel.

naliste femme à écrire sur les nouvelles technologies.

Elle se souvient d'avoir rédigé une page entière dans *Télérama*, sur l'ouverture du premier cybercafé, L'orbital, à côté de la place de la Bourse. Puis elle part lancer avec son frère la rubrique Planète Cyber à *Sciences et Avenir*. « À l'époque, on expliquait ce qui allait se passer dans le monde numérique, mais nous n'étions pas compris, dit-elle aujourd'hui. On était trop en avance. »

Cette avance, elle ne la perdra jamais, enfourchant, pionnière parmi les pionniers, chacun des nouveaux chevaux prêts à prendre le départ de la course numérique. Son frère et elle créent rapidement i-marginal, une « société de contenus et de contenants » proposant des sites webs éducatifs et culturels, des blogs, podcasts et autres réseaux sociaux. Et Tatiana, sa maman, est toujours là, tout près...

Après le site des Humains, et dès que les blogs traversent l'Atlantique, Natacha crée son blog personnel[1], dont la philosophie, à mi-chemin entre l'humour et le fantastique, est illustrée par la phrase de Pierre Dac en exergue sur la page d'accueil : « Il est démocratiquement impensable qu'en République il y ait encore trop de gens qui se foutent royalement de tout. »

Elle fait ensuite naturellement le lien entre le monde des blogs et celui des téléphones mobiles

---

1. http://www.lesimpertinents.com

équipés d'appareil photo en lançant un moblog, Mémoire vive[1]. Elle initie les *wifipicnings*, ces rencontres mi-virtuelles, mi-réelles d'un troisième type où viennent se croiser à la fois en vrai et en ligne des personnes qui se donnent rendez-vous dans un jardin public par exemple. Chacun apporte son ordinateur portable équipé d'une carte wifi et peut se connecter avec ses voisins au sein d'un réseau local réalisé dans un espace donné (pas plus de trente mètres) et pour un moment donné. Rien n'empêche bien sûr, au contraire, les rencontres en chair en os dans la foulée des premiers échanges virtuels.

Puis arrive, à peu près au moment où nous nous rencontrons, l'étape cruciale de *Second life*, puisqu'il s'agit là de créer tout un univers. L'île verte y occupe 65 000 mètres carrés que Natacha et ses proches vont passer des semaines à construire, soignant chaque brin d'herbe, nuage ou arc en ciel, puisque le décor de l'île est censé refléter les valeurs humanistes, écologiques de l'association. Natacha y passe une bonne partie de ses journées et de ses nuits, et met beaucoup d'espoir dans cette nouvelle plate-forme d'expression et de rencontre pour son association. Elle rêve déjà à son nouveau projet sur Second Life : créer un *eurocampus,* une plate-forme d'universités européennes en ligne.

Quelques jours après notre première rencontre, je me suis dit, un peu comme je l'avais fait

---

1. http://www.memoire-vive.org/

avec la Nintendo de Sandrine, que si je ne voulais pas mourir inculte, il fallait que j'aille faire un tour sur Second Life, ce qui aux dires de Natacha était l'enfance de l'art. En théorie...

Un beau matin, prenant mon courage à deux mains, car faut-il le répéter, si je suis intriguée, et même attirée par tout ce monde techno-virtuel, je me sens encore très maladroite dans son maniement, un beau matin donc, le 15 mars 2007, je me décide au grand saut. Ne lâchant pas mon carnet de notes, auquel je m'accroche comme un filet de sécurité, je décide de noter minute par minute toutes les étapes de mon passage dans ma deuxième vie. Juste au cas où j'y disparaîtrais totalement et afin de faciliter l'enquête de ceux qui viendraient m'y chercher !

J'écoute les bruits de la vraie vie, on annonce à la radio la mort de la résistante Lucie Aubrac, que j'admirais tant et qui m'avait fait l'honneur d'être une des douze grands-mères de mon livre[1], François Bayrou perd trois points dans les sondages (nous sommes en pleine campagne présidentielle) et il fait 16° à Paris. Première démarche : prendre un pseudonyme. Le choix du prénom est libre et pour le nom, il faut choisir dans une liste qui défile à l'écran. J'ai envie de Léonie Carter, je trouve que c'est un joli nom d'agente secrète, assez distingué, et puis Léonie est mon troisième prénom. Quant à Carter, cela me rappelle un peu Parker, le patro-

---

1. Référence au livre p. 11.

nyme de Liz et Ann Parker, deux héroïnes de mon adolescence. Je suis presqu'émue en complétant mon identité virtuelle. Première déception, quelques secondes plus tard : la machine m'informe qu'il y a déjà une Léonie Carter sur Second Life ! Comment est-ce possible ?

Je propose alors Alisa comme prénom, que j'utilise souvent, et dans la liste des noms, j'opte assez vite pour Babenco, ce qui donne Alisa Babenco ! Je le trouve moins élégant que le premier, mais finalement assez amusant à l'oreille. Et là, ô miracle, cela marche, me voici dotée de ma seconde personnalité !

Suit toute une série de procédures, on me fait lire la charte (en anglais bien sûr, comme le reste) de Second Life, plutôt rassurante de prime abord puisqu'on y annonce que seront impitoyablement sanctionnées toutes les manifestations d'intolérance, de harcèlement, d'agressivité, d'indécence, de violation de la paix...

Quelques instants plus tard, mon personnage apparaît...nue ! J'ai à peine le temps de pousser un cri qu'il s'habille en jeans et T-shirt rose ! Ouf ! Un message s'affiche sur mon écran : *Welcome to Second Life !* Il est désormais 10 h 42 à Paris, mais 2.42 AM sur mon ordinateur, l'heure californienne où résident les fondateurs de Second Life. C'est parti pour une première promenade. Et une première rencontre avec un autre avatar dénommé Simon Miles, à qui je fais, sans même m'en rendre compte, mon premier mensonge, me rajeunissant de cinq ans ! Tout est donc possible sur Second Life !

L'après-midi, j'ai rendez-vous, virtuellement bien sûr, avec Natacha qui m'invite à visiter son île. Pas question de m'y rendre seule, j'ai déjà erré deux heures ce matin comme une âme en peine dans cet univers trop complexe pour une novice comme moi. Un petit coup de fil (en vrai !) pour la prévenir de mon arrivée, et hop, elle me *téléporte* sur son île verte. Je me sens bête et ordinaire avec mon jean stupide et mon T-shirt banal, alors qu'elle porte un ravissant kimono, et surtout, des ailes de papillon dans le dos. Et elle vole. Moi aussi, d'ailleurs...

L'île verte ressemble à Natacha.

Oserai-je l'avouer ici ? Je ne suis jamais retournée sur Second Life depuis. À part une ou deux tentatives avortées. Je crois que je suis encore coincée au fond de l'eau ou entre les murs d'une société dont je n'arrive pas à m'extraire. Mais l'expérience valait la peine d'être tentée. Depuis, je suis avec intérêt l'actualité de l'île verte en surfant sur les blogs de Natacha qui tient une chronique régulière des différentes conférences organisées sur son île, notamment celle de la secrétaire d'État à l'environnement, lors du Grenelle du même nom en octobre dernier.

Mais l'univers de Natacha ne s'arrête pas à Second Life. Avec les Humains Associés, en 2006, elle lance un *wiki* (outil collaboratif) pour rédiger une charte de déontologie sur les blogs, *la néthique*, inspirée de la *nétiquette* (contraction de net et d'étiquette) qui définissait des règles de conduite et de politesse à adopter sur internet. « La néthique est une question de citoyenneté, de respect de l'autre et de sa différence. C'est un engagement volontaire de chacun. Elle promeut avant tout une éducation aux nouveaux médias et aux droits et devoirs du citoyen à l'heure du numérique », explique-t-elle à la Villette le 17 novembre dernier. La conviction des Humains Associés, c'est que « l'autorégulation citoyenne est le seul moyen d'y parvenir, car des lois sont difficilement applicables sur le réseau, et la viralité des bons comportements est possible ». Cette Néthique qu'elle a contribué à créer, Natacha va aller la défendre dans de multiples conférences. Au hasard d'une d'entre elles au Sénat, elle croise Hélène, qui, conquise, adoptera quelques jours plus tard la charte néthique sur son *blogdefilles* sur lequel elle écrit : « S'il ne fallait retenir qu'une règle : ce que vous ne feriez pas lors d'une conversation réelle face à votre correspondant, ne prenez pas Internet comme bouclier pour le faire ».

Sous l'impulsion de Natacha et Tatiana, la charte de la néthique a déjà été adoptée par plus de 300 blogs francophones et territoires virtuels qui s'appliquent à eux-mêmes ce code de conduite et de modération. En 2008, les deux femmes ont bien l'intention de continuer le débat et d'ouvrir celui-ci à la question de l'identité numérique et des réseaux sociaux.

Si la néthique est un sujet très sérieux, Natacha n'oublie pas pour autant l'humour, et, dernier clin d'œil à mon tropisme québécois, m'annonce que sa société vient de réaliser l'île « Juste pour Rire » sur Second Life, du nom du célèbre festival né à Montréal. La vie virtuelle n'est décidément pas de tout repos pour Natacha qui ne doit pas oublier de faire signe de temps en temps aux 400 amis qu'elle a déjà sur le réseau social FaceBook !

Vais-je m'y risquer à mon tour ?

***

Je laisse Natacha jongler entre ses différents univers virtuels et imaginer ses futurs combats pour aller fureter dans les autres coins de l'île où s'entremêlent sous une autre forme l'engagement et le numérique. Ici, je découvre une oasis de solidarité ouverte à toutes celles et tous ceux qui veulent étancher leur soif de bonnes actions, sans trop savoir comment s'y prendre. Cette oasis s'appelle jeveuxdonner.com et sa conceptrice Ingrid.

Ingrid a dix années et cinq enfants de plus que Natacha, le cheveu aussi blond que la videoblogeuse l'a brun, mais le regard tout aussi noir et rayonnant, tourné vers la même cause : les autres.

Autant Natacha est une *selfmadewoman*, grandie dans un milieu familial original, autant le parcours d'Indgrid est plus académique. Élevée dans une famille plus bourgeoise, père médecin, mère professeur puis au foyer, le jeune fille est une bonne élève à qui l'on ne parle pas beaucoup des métiers possibles pour sa future vie de femme. Elle choisit après le bac l'École supérieure de commerce de Paris, puis un troisième cycle à la Sorbonne sur le droit et l'administration de la communication audiovisuelle.

C'est le rapport Bredin sur les nouvelles chaînes hertziennes en 1985 qui lui met vraiment la puce à l'oreille en prédisant les bouleversements du paysage audiovisuel. Canal + est né et M6 s'apprête à faire ses premiers pas. « On était au passage d'une économie de rareté de l'offre à une économie de marché de l'offre, le paysage média-tique était en plein bouleversement », se souvient Ingrid. Les chaînes thématiques ne vont pas tarder à s'installer sur le câble, avant d'être rejointes un peu plus tard par le satellite. Quant aux radios locales, elles vont exploser sur la bande FM.

Marketing et communication, les deux mots motivent Ingrid, qui rejoint le groupe Carat France, une centrale d'achats d'espaces publicitaires. Sa pre-mière mission : une campagne de radios locales de bord de mer pour la marque Danone !

Les dix années qui suivent vont filer à toute allure, passionnantes mais dévoreuses de vie privée. En marge de son travail, à partir de 1995, elle donne des cours à la Sorbonne au sein du DESS qu'elle a suivi dix ans plus tôt, et organise également les petits déjeuners de la communication à la Sorbonne.

En 1996, Ingrid prend soudain conscience du temps qui passe et décide de faire un « break » pour pouvoir construire une famille, élever ses enfants et profiter un peu de sa vie de couple et de maman. Une mère qui va vite rattraper le temps perdu, puisqu'elle aura cinq enfants. En l'an 2000, lorsque la chaîne Tiji se lance sur le PAF, à destination des moins de 7 ans, c'est en tant que maman de quatre enfants de cet âge qu'elle entre au comité d'éthique de la chaîne.

En 1999, le contact avec l'entreprise commence à lui manquer, et tout à coup c'est l'étincelle. Deux rencontres vont à nouveau faire basculer sa vie. Elle retrouve d'abord Nathalie, une camarade du DESS, qui vient lui parler de son projet de chaîne de télévision humanitaire et lui demander conseil : y a-t-il un modèle économique viable ? C'est-à-dire des recettes publicitaires potentielles suffisantes pour faire vivre une chaîne de ce type ? La réponse est malheureusement non, le paysage audiovisuel est déjà très encombré. La deuxième rencontre est tout simplement celle de l'Internet, qui commence à s'implanter en France, comme sixième média, après la presse, la télévision, la radio, l'affichage et le cinéma. Pourquoi ne pas développer un modèle de service humanitaire sur le web, qui serait certainement un projet économique moins coûteux qu'une chaîne de télévision ? Les deux camarades commencent à y réfléchir sérieusement, et unies par le même désir d'aider le monde de la solidarité à mieux se faire connaître et à mieux fonctionner en trouvant de nouvelles ressources, décident dans un premier temps de lancer en 2000 une société au double objectif : créer des outils de communication au service de la solidarité, et développer une activité de conseil en solidarité auprès des entreprises. Deux ans plus tard, en février 2002, le site *jeveuxaider.com* est mis en ligne.

Internet se révèle l'outil idéal, et même le seul capable de répondre de façon efficace et rapide à leur souhait : créer un pont entre le grand public et le monde des associations qui négligent souvent la communication... Les exigences des deux amies sont triples.

Un : « On voulait être efficace. Il fallait d'abord que cela marche. De façon concrète et pratique. Pour cela, il fallait que les informations soient fiables. Le monde associatif est une nébuleuse mouvante, avec 85 % des associations qui ne fonctionnent que grâce à des bénévoles. Il y a des changements incessants de contacts, de coordonnées. » Il fallait donc mettre sur pied un système qui suive en temps réel l'actualité de ce monde associatif. « Internet est certainement l'outil le plus réactif, qui permet une mise à jour facile et rapide », explique Ingrid.

Deux : « On voulait être un facilitateur de la solidarité. » « Donner ne doit pas être un parcours du combattant », résume-t-elle sur son site. Il fautz permettre au public de s'affranchir des contraintes du temps et de l'espace, donner à ceux qui le souhaitent la possibilité de choisir l'association qu'ils veulent aider quand ils le veulent et d'où ils le souhaitent. En quelque sorte, il s'agit de mettre sur pied une sorte de guichet ouvert 24h/24 !

« Il y a de plus en plus d'actifs impliqués dans la solidarité. Internet a permis de suivre cette évolution du bénévolat et facilité une mise en contact avec les associations sur le mode "quand j'y pense, quand je suis disponible", rappelle Ingrid. D'ailleurs, notre pic de consultation se situe pendant les heures de bureaux. »

« En matière humanitaire, ajoute Ingrid, il faut raccourcir le plus possible le délai entre l'envie et le passage à l'acte. Si c'est trop compliqué, si ce n'est pas le bon moment, on laisse tomber ! »

Trois : « On avait envie de partager l'information sur ce domaine humanitaire ». Une préoccupation qui convient parfaitement à Ingrid. « Je passe ma vie à donner des conseils, ne sommes-nous pas toutes comme cela ? ! C'était un bon moyen de le faire dans le domaine de la solidarité. »

Reste à trouver le modèle économique du site car l'action entreprise par les deux camarades n'est pas de la philanthropie. Ingrid prend bien soin de le rappeler pour éviter toutes les ambiguïtés. « C'est une SARL et non une association que nous avons constituée. Nous sommes une société de services, au service de la solidarité. Les associations passent une convention avec nous. Et pour assurer ses ressources, le site jeveuxaider conseille les grandes entreprises sur leur stratégie solidaire et humanitaire. » Pour l'instant ce sont plutôt quelques entreprises du monde des médias, dont Ingrid est plus familière, qui lui ont confié la réflexion et la mise en œuvre de leurs démarches de solidarité, mais aucun secteur n'est a priori exclu.

Les résultats ne se font pas attendre. Quatre ans plus tard, en juin 2006, *jeveuxaider* postule au Clics d'or dans la catégorie « mobiliser » et obtient le clic de Bronze et le prix spécial du site le mieux référencé, devant *Priceminister*, raconte Ingrid avec fierté.

Que trouve-t-on aujourd'hui sur *jeveuxaider* ? En fait le site est à la fois un annuaire d'associations caritatives, dans lequel on trouve tous les renseignements sur les besoins de celles-ci ; un site « d'aide à l'action », qui organise par exemple des opérations de solidarité liées à la saisonnalité. Des actions pour Noël, les vacances. « Les associations font part de leur besoin (en bénévoles, en argent, en objets particuliers) et nous organisons des opérations à destination du grand public. C'est un peu le prêt à l'action en matière de solidarité. »

Un nouveau site doit voir le jour en 2008 avec une visibilité plus grande donnée aux associations, qui y trouveront un espace pour s'exprimer et partager leurs expériences. Le volet entreprises sera également présent avec différentes types d'actions proposées. Aujourd'hui par exemple, jeveuxaider propose à ces entreprises d'organiser des opérations de solidarité « clés en main » pour leurs salariés, en leur faisant des propositions d'actions et d'associations, mais les perspectives sont multiples. Enfin le site *jeveuxaider* va s'adapter au web2.O en créant un espace communautaire et certainement un blog, ouvert au partage de belles aventures humaines de la solidarité. Ingrid fourmille d'idées, tout en espérant également attirer quelques annonceurs publicitaires. Lorsque le site s'est lancé, le modèle publicitaire n'était pas viable sur internet, aujourd'hui, le paysage semble bien plus prometteur.

***

L'île de l'engagement est loin de m'avoir livré tous ses secrets. Il y a encore mille et une façons de conjuguer les outils numériques et la solidarité. Certaines femmes, en marge de leur travail, dans la vraie vie, ont choisi la nouvelle plate-forme des TIC comme espace de bénévolat. Florence est de celles-là, qui depuis cinq ans, a fait de *Prima* une sorte de passerelle entre l'île de la transmission et l'île de l'engagement. Il y a quelques années, cette jeune et souriante quinqua était encore très loin de cet univers technologique. Elevée dans le Nord dans une famille de cinq filles, elle a grandi dans l'univers des ateliers de confection et s'oriente tout naturellement, après le bac, vers l'École supérieure de l'industrie du vêtement à Paris. Diplôme en poche, elle revient sur ses terres natales du Nord, et plonge dans l'océan de la mode. Là, les nouvelles technologies s'appellent « robots » ou « découpe au laser ». La vie lui fait ensuite traverser la France pour rejoindre son mari dans le Sud-Ouest. Le travail continue, passionnant, mais stressant, à mettre sur pied des ateliers de fabrication de lignes de vêtements, un peu partout en France et à l'étranger. Elle enchaîne : un bébé, deux bébés, une rupture, un nouveau mari, un troisième bébé, et toujours le travail qui dévore de plus en plus son temps ! Florence commence à vivre mal cette pression professionnelle, « je somatisais, et j'en étais physiquement malade ». Elle décide alors de changer de travail, et de s'orienter vers un métier plus compatible avec une vie familiale : celui de l'enseignement. Nous sommes au début des années 1990, elle décide de présenter en candidate libre le concours de l'IUFM. Travail, concours, retour à l'école. Elle se retrouve avec des étudiants beaucoup plus jeunes qu'elle, qui jonglent déjà avec l'informatique, alors qu'elle ne sait pas à quoi ressemble un ordinateur ! Mais c'est avec l'enthousiasme du néophyte qu'elle saute dans le train numérique. « J'avais un défi à relever, pas seulement pour moi mais aussi pour mes trois enfants. Les débuts n'ont pas été faciles : maîtriser le matériel, le vocabulaire, les usages. Il fallait tout apprendre en même temps pour rattraper le retard accumulé. À cette époque, on trouvait peu de formations, j'ai découvert la « formation sur le tas », et heureusement profité de la solidarité entre les débutants comme moi et les utilisateurs plus expérimentés. C'était sans doute la première étape du partage des connaissances. »

Florence se passionne pour ce nouveau métier et aussi pour les technologies de l'information et de la communication qu'elle va, au fil des développements de l'Internet, utiliser également dans sa vie personnelle. La rapidité dans les contacts, la facilité pour trouver des ressources, la richesse de celles-ci, tout concourt à lui rendre indispensables ces nouveaux usages !

« Peu à peu, l'écran a fait partie de mon univers journalier, mais j'ai pris conscience d'appartenir au monde du numérique le jour où je n'ai plus utilisé les annuaires papier de la Poste mais uniquement le site des Pages jaunes. »

Sa première année d'enseignement dans une école primaire se passe bien, mais l'année suivante, les problèmes de dos qui la rongent depuis des années l'empêchent de se tenir debout et l'obligent à se mettre en arrêt de travail. Lorsqu'on lui propose quelque temps plus tard, un poste au CNED, (Centre National d'Enseignement à Distance), elle accepte avec enthousiasme. Et commence à organiser sa vie entre les cours par correspondance et les séances de rééducation hebdomadaires à l'hôpital.

Est-ce que ce sont ses visites régulières à l'hôpital ou sa plus grande disponibilité alors que ses enfants grandissent qui la poussent à rejoindre, comme professeur bénévole, l'Association Scolaire des Enfants Malades ? Sans doute les deux. Bientôt,

Florence a envie d'aller plus loin et d'utiliser les perspectives extraordinaires qu'offre le monde du numérique. Épaulée par quelques ami(e)s, elle crée Prima, qui propose à des jeunes (ou moins jeunes) hospitalisés en longs séjours, des outils destinés à maintenir leurs liens familiaux, scolaires, sportifs...grâce aux TIC. « J'ai éprouvé le besoin de partager mes connaissances à mon tour, avec l'aide des nouvelles technologies de la communication, bien sûr ! » Une opération rondement menée, qui lui permet, grâce à des partenaires généreux, d'acheter pour Prima, six PC et trois ordinateurs portables, des MP3 et d'installer une première antenne dans un centre de rééducation pour polytraumatisés. Les jeunes malades qui bénéficient de ces outils sont appelés les pilotes.

Pilote de leur vie réinventée grâce au numérique, pilote de leurs retrouvailles avec le monde extérieur, l'école, leur famille ou leurs amis. « Des pilotes que l'on peut classer schématiquement en deux catégories, explique Florence : ceux qui utilisaient déjà l'ordinateur avant leur séjour à l'hôpital et ceux qui découvrent le clavier et la souris. » Les premiers sont très curieux de découvrir de nouveaux outils, comme le MP3 pour la pratique des langues, ou encore les mails vidéos, pour communiquer avec leurs proches, ou les convertisseurs vocaux pour ceux qui ont perdu l'usage de leurs bras et de leurs jambes. « Ils se sentent valorisés par rapport au monde des "biens portants"."Je vais montrer ça à mes copines, elles vont être bluffées !", disent certains ». Et Florence de citer l'exemple de cette jeune fille accidentée de 25 ans, secrétaire de direction trilingue, qui souhaitait simplement trouver des cours d'anglais sur des sites pédagogiques pour entretenir son niveau. « Nous lui avons proposé de communiquer avec une jeune femme anglophone qui lui envoie des fichiers scripts et des fichiers vocaux pour son MP3. Elle peut écouter ces fichiers MP3 pendant des exercices de rééducation ou des pauses détente, et à son tour renvoyer d'autres fichiers à sa correspondante qui les lui corrigera, et ainsi de suite. Cette pratique a développé des relations humaines qui n'auraient pas été possibles en consultant simplement un site sur internet, ce qui a fortement dynamisé son projet, et l'a aidée à persévérer. »

Les débutants, qui veulent avant tout communiquer avec leurs proches, vont mettre à profit leur séjour en rééducation pour se former et se mettre à niveau par rapport à leur famille et leurs amis. « On sent qu'ils veulent s'investir et rattraper le temps perdu pour éviter l'exclusion numérique, poursuit Florence. Ils sont curieux de tout, et veulent tout essayer. Il n'est pas rare d'entendre des phrases comme : "Je n'ai dit à personne que je commençais l'informatique, je leur ferai la surprise en envoyant un mail." » D'autres au contraire donnent systématiquement rendez-vous à leurs visiteurs à l'atelier Prima, que l'association a installé au rez-de-chaussée de l'hôpital et où les bénévoles se relaient.

« Ils sont très fiers quand on les trouve devant un écran explique Florence. Leur accident les a souvent diminués, ils trouvent là le moyen de se valoriser aux yeux de leurs proches ».

Dans un deuxième temps, beaucoup prennent conscience de l'aide que pourra leur apporter Internet, une fois qu'ils seront rentrés à la maison, pour compenser leur handicap. Le web leur ouvre de nouveaux horizons : commander un billet de train, le payer en ligne et l'imprimer ; contacter les administrations et accomplir des formalités ; faire leurs courses en ligne et les faire livrer ; faire des recherches multiples et variées.

Florence cite le cas d'un homme qui n'avait jamais approché un clavier ou une souris, et qui souhaitait apprendre à communiquer avec ses enfants à l'étranger. « Au début, il a appris à envoyer des photos et à classer celles qu'il recevait, puis il a multiplié les contacts de son carnet d'adresses. Plus tard, il a passé des heures sur internet pour rechercher un vélo électrique qui correspondait à ses besoins avec sa jambe artificielle ».

Florence n'imaginait pas, il y a quinze ans, jongler avec les MP3 et les disques durs, les logiciels de reconnaissance vocale et la webcam. Elle n'imaginait pas, surtout, vivre, grâce à tous ces outils, une expérience humaine si enrichissante !

Mais, parce que l'univers du numérique est en mutation permanente, il faut sans arrêt se tenir à jour des dernières innovations. C'est pourquoi Florence et les bénévoles de Prima, qui sont les copilotes, se forment tous les mois aux nouvelles pratiques du monde numérique, grâce à la coopération d'une autre association, *e-coordination*, fondée par un ami, Antoine, qui les aide ainsi à rester à la pointe des nouvelles technologies.

Une coopération très constructive puisque de son côté Prima a donné un petit coup de pouce à *e-coordination* pour boucler son projet *Mobikid*. Un projet lancé sous l'égide de la communauté européenne, destiné à faire un état des lieux de la mobilité géographique des enfants dans les onze pays d'Europe et à étudier son impact sur la continuité scolaire. Mobikid propose également quelques pistes d'utilisation des nouvelles technologies. Comme l'élaboration d'un e-porfolio (déjà utilisé pour les langues) pour enregistrer les compétences des enfants sur le net afin de faciliter leur intégration scolaire grâce au suivi des compétences d'un pays à l'autre.

Florence et Prima vont suivre avec attention les développements du projet *Mobikid*, convaincues que numérique, transmission et générosité peuvent créer un cercle très vertueux. Après tout, les enfants malades ou victimes d'un accident, et qui, pour une période de leur vie, voyagent entre hôpital, maison et centre de rééducation, sont eux aussi, au même titre que les enfants de Mobikid, des enfants nomades.

« Ah, il est loin le temps où l'on entendait que l'écran coupait les relations humaines ! », se réjouit Florence.

***

Avant de quitter l'île de la conversation j'avais promis de rappeler Sophie, à qui le parcours de Florence auprès des malades me fait penser. Je suis sur le point de quitter celle de l'engagement et cela tombe plutôt bien puisque Sophie a réussi, elle aussi, à créer un lien entre les malades et le net. La chaîne rose, née de son amitié avec Réquia et les blogueuses de cuisine et sponsorisée par le laboratoire Roche, est un succès. Lorsque nous nous parlons ce soir d'octobre au téléphone, « il y a eu 15 000 téléchargements de l'e-book de recettes roses en dix jours ! Quelle belle preuve de solidarité féminine » !

Il y a quelques années, Sophie ne s'imaginait sans doute pas que les blogs l'embarqueraient dans une telle aventure. Là encore, l'histoire de cette jeune maman est intéressante. À ses débuts, Sophie travaille dans une webagency, qui crée des sites Internet, puis elle reprend des études dans une école de *relooking*, c'est-à-dire de conseil en image. Elle crée ensuite sa propre petite société de *relooking, je suis unique,* et se présente alors sur son premier blog comme « une citadine amoureuse des couleurs et des matières, créatrice de l'univers de mes clients ». Ce premier blog « Je suis unique ou les chroniques Trendy d'une relookeuse parisienne » raconte ce qui se passe dans sa petite entreprise. Le ton de son blog doit plaire, car les marques commencent à venir frapper à sa porte. Sophie accepte de travailler pour quelques unes d'entre elles, dans la beauté, puis la mode. Elle tient alors la plume de ces blogs de marque qui ont compris que leur clientèle était de plus en plus friande de ce type de media. En marge de ses blogs « professionnels », elle garde son blog *je suis unique,* sur lequel elle refuse toute publicité. Elle y parle de ses passions, de l'art contemporain à la littérature en passant par la mode ou la photo.

En avril 2007, un grand laboratoire pharmaceutique décide de lancer un site destiné aux femmes atteintes d'un cancer[1]. S'adresser aux personnes malades, ouvrir un espace de partage et de conseil, telle est l'ambition du laboratoire qui souhaite, comme bien d'autres entreprises, investir sur le versant humain de ses activités. Sophie est contactée pour créer ce blog dont l'objet va consister à expliquer aux femmes comment conserver leur féminité malgré leur maladie.

Depuis le lancement de *Femmesavanttout.com,* ce blog a changé sa vie plus qu'elle ne l'imaginait. Les choses restent claires : elle est payée par une marque pour faire un blog. Les internautes qui la visitent savent que ce blog est sponsorisé par le laboratoire. Mais au-delà du « travail », une vraie

---

1. Le fabricant de téléphones portables Samsung aura lui aussi l'idée d'aider la même association « Le cancer parlons en », en lançant une « Pink collection » pendant le mois d'octobre 2007, en lui reversant 5 euros pour chaque téléphone vendu.

relation humaine s'est créée grâce au blog entre Sophie et ses visiteuses qui sont en grande majorité atteintes de cancer. Sophie les écoute, leur parle, leur donne des conseils. Aujourd'hui, elle s'intéresse à l'oncoésthétique et à la façon d'aider les femmes malades à s'occuper de leur beauté. Cet engagement-là, qui l'entraîne loin de ce qu'elle a fait jusqu'à présent, c'est aussi à sa rencontre avec l'Internet qu'elle le doit.

8.

L'île de la culture

En atterrissant tout à coup sur l'île de la culture, je me sens prise dans un tourbillon de rythmes, d'images et d'avant-gardisme. Ici, on danse, on chante, on va au cinéma, à des expos. Toutes ces manifestations artistiques ont quelque chose à voir avec le numérique ! Et toutes sont orchestrées par des femmes !

Par quelle rencontre commencer ? Peut-être par la dernière que j'ai faite sur cette île de toutes les découvertes. Valentine participait avec moi et d'autres membres sûrement plus expérimentés que nous, à un jury chargé de sélectionner un projet de création numérique[1] pour l'obtention d'une bourse. Il n'y avait aucune fille parmi les jeunes candidats. Valentine, elle, avait été la lauréate de l'année précédente, en présentant un projet qui prospère et embellit aujourd'hui sur le net. Son

---

1. Jury de la bourse des Talents de la Fondation Jean-Luc Lagardère.

nom : *style2ouf.com* ! Un site de hip-hop ! Pour être plus précise, c'est le projet de monter sur ce site une émission de télévision consacrée au hip-hop qui lui avait valu l'obtention de la bourse des créateurs.

La brunette de 29 ans, née au Vietnam à Hanoï, et arrivée en France à 6 ans, me rassure d'emblée. Elle non plus ne connaissait rien au hip-hop il y a dix ans ! C'est un de ses amis qui l'y a initiée. Ce dernier, cascadeur et passionné de skate, d'arts martiaux et de hip-hop (en particulier de break danse), rêvait de créer un site dédié à ses passions. Au fur et à mesure, le jeune homme s'aperçoit que les visiteurs de son site recherchent particulièrement des informations sur le monde de la danse hip-hop. Valentine accepte de le suivre dans l'aventure, et va peu à peu découvrir, par l'intermédiaire des forums notamment, ce qu'elle considère aujourd'hui comme un véritable univers artistique. Elle reconnaît avoir eu des a priori sur ce milieu. « N'ayant jamais vraiment côtoyé ces danseurs, je ne les voyais pas vraiment avec un œil sympathique au démarrage. Au bout du compte, j'ai appris énormément sur les valeurs défendues par toute une génération d'anciens, et j'ai réalisé à quel point ils luttaient pour continuer d'exister et vivre de leur passion. Si aujourd'hui les media et les grandes marques de *streetwear*, ou de cosmétiques se sont emparés des codes de cette danse, il existe depuis des années des danseurs et des associations qui ont créé et maintenu cette danse au quotidien ». En écoutant Valentine me parler du hip-hop, je pense à ce que m'a souvent expliqué mon ami Fabrice, patron de Cellfishmedia, qui crée des contenus pour les téléphones mobiles[1] et internet et s'adresse, entre autres cibles, à la communauté hip-hop, très importante parmi les jeunes, principalement aux États-Unis mais ailleurs aussi de plus en plus. Valentine le confirme, elle qui prépare avec son ami pour le début 2008 un documentaire retraçant l'histoire du hip-hop et ce qu'il représente aujourd'hui un peu partout dans le monde.

Style2ouf s'est vite imposé : « Le nom correspond à une vraie tendance de l'époque, explique Valentine, et il est également lié au phénomène du langage verlan. *Style2ouf*, c'est un peu ce que l'on peut entendre face à un mouvement ou une exécution artistique frappante ! » En participant à l'aventure, Valentine a apporté son savoir-faire de manager. Car, si enfant elle s'est d'abord rêvée en docteur pour soigner les enfants, puis en avocate pour défendre les victimes et enfin en reporter pour raconter le monde, c'est vers l'économie et la gestion qu'elle s'est finalement dirigée. Son bac ES en poche, elle s'oriente d'abord vers une maîtrise d'économie et de gestion avant de compléter sa formation par un master en management des ressources humaines et techniques. Un bon bagage pour aller chercher les partenariats nécessaires au développement de Style2ouf. « Face à la forte demande de partenariats en tout genre, nous avons

---

1. notamment des ringtones et ringack tones.

décidé de constituer une association autour du site en 2003 afin de pouvoir mieux organiser les relations avec les partenaires. » Mais ce qui passionne vraiment Valentine aujourd'hui, c'est l'émission de Style2ouf, avec un format de 26 minutes diffusé gratuitement sur le site. Une première dans le milieu de la danse hip-hop ! Toute à la préparation de la sixième émission, Valentine me raconte ses premiers pas dans la vie digitale, elle qui a grandi avec les jeux sur ordinateur, eu son premier Amstrad lorsqu'elle était encore en primaire, et des cours d'initiation à l'informatique dès le CE2. « Pour mes parents, c'était très important de nous familiariser avec ces outils qui représentent l'avenir et ils avaient raison ! Ils étaient toujours partants pour nous offrir les dernières nouveautés concernant les PC, les logiciels ou autres accessoires, toujours dans la logique de l'apprentissage. »

Si elle se souvient avec un soupçon de nostalgie de son premier walkman « à l'époque, c'était déjà sensationnel de pouvoir écouter de la musique à l'extérieur avec une machine portable », Valentine a allègrement franchi le cap de l'Internet qui fait aujourd'hui partie intégrante de sa vie. Elle surfe ainsi quasi quotidiennement sur des sites de danse, voyage, cuisine, déco, infos pratiques, ventes privées... Avec, dit-elle, « une sensibilité et une approche féminines de ces outils : je prends les éléments qui me sont utiles sans entrer de plain-pied dans ce monde. J'essaie de me tenir au maximum au courant des nouveaux codes ou phénomènes qui se déroulent dans les mondes virtuels, mais sans excès. Les hommes ont une approche très technique, moins chaleureuse du monde virtuel. Les femmes essaient en général d'apporter du sens et un peu de profondeur dans leur relation au monde virtuel ».

Le moyen par exemple de réaliser un jour son rêve : un tour du monde, sac au dos, sur la thématique de la danse ! Là, les outils des TIC pourront l'aider à rester en contact. Comme tous les jeunes de cette génération digitale, elle a un compte sur MSN pour échanger avec ses amis ou sa famille (notamment celle qui est restée au Vietnam) et a ouvert un blog dans lequel elle actualise ses périples et ajoute les photos de ses aventures. « J'ai l'impression de leur faire partager ce que je vis et leurs réactions ou petits mots sont un lien important et rassurant lorsque je suis à l'étranger. »

Avec ses envies de parcourir et de refaire le monde, voire de le sauver de ses démons, Valentine semble presque naïve... tout en faisant preuve d'une vraie maturité quand elle évoque l'impact d'Internet sur la société et les générations futures.

« Nous vivons depuis une dizaine d'années une vraie révolution technologique qui change durablement nos modes de vie, dit-elle. Les rapports de force changent. Tout le monde peut prendre la parole. On le voit avec l'essor des blogs ou des phénomènes qui se créent du jour au lendemain (comme la tecktonik) sans l'intervention de super media. Nous vivons une ère de décentralisation des pouvoirs où chacun se prend à rêver de devenir lui aussi acteur du monde dans lequel il vit. Mais il ne faut pas oublier de vivre dans le réel et ne pas trop privilégier la vie virtuelle en se coupant des relations humaines au profit de relations entretenues *via* les TIC. J'ai davantage cette peur pour ceux qui sont nés dans cette vague et n'ont pas connu la période d'avant. Ils vivent en réseau, mettent leurs états d'âme sur le net, s'exposent en mettant en ligne leurs pensées, leurs photos personnelles, leurs vidéos, etc. sans penser aux conséquences. Ils passent énormément de temps avec tous ces outils et de moins en moins à lire ou sortir jouer avec des copains. Je pense que les parents ont un rôle à jouer dans le développement des TIC à la maison. Il faut qu'ils leur expliquent ce qui est bon et ce qui ne l'est pas ou moins, et leur fixent des limites. »

Que ces propos semblent sérieux dans la bouche d'une jeune femme qui a passé son enfance à faire le clown pour sa famille, et continue aujourd'hui dans une troupe spécialisée dans les matches d'improvisation ! Je souhaite en tout cas aux enfants de la prochaine génération digitale d'avoir une maman comme Valentine, branchée et responsable à la fois.

***

Et si toutes les petites filles pouvaient avoir une grand-mère comme Marie-José...Qui jouerait aux échecs avec elles, à 300 kilomètres de distance, chacune devant son ordinateur portable, avec la webcam branchée qui permettrait de voir avancer les pions. Une grand-mère à qui l'on pourrait montrer ses dessins ou qui nous apprendrait la broderie et applaudirait à tout rompre quand on lui jouerait un air au piano. Une grand-mère avec qui l'on pourrait chatter pour lui confier tous ses secrets. Cette grand-mère-là, si jeune et si gracieuse dans sa silhouette d'elfe toujours voilée de noir, qui cache ses yeux bleus espiègles et ses chagrins enfouis dans une jolie maison familiale des cantons de l'est au Québec, cette grand-mère-là, qui produit des films depuis trente ans et partage près de quarante ans d'amour avec son mari, est sans doute l'une de mes plus anciennes rencontres digitales. Des rencontres régulières, commencées il y a plus de dix ans déjà, lorsque nous avions émis le vœu d'écrire ensemble, avec son mari, un scénario pour le cinéma.

L'hiver à Saint-Paul d'Abbotsford, la campagne est noyée sous une neige immaculée qui craque comme de la ouate sous les pas. L'été, la végétation revit, les fleurs ravivent l'herbe tandis que les cours d'eau se faufilent entre les rochers...

C'est ici, tout en cultivant ma passion naissante pour le Québec, que j'allais faire mon apprentissage des nouvelles technologies, impressionnée par l'avance et les performances de mes nouveaux amis. L'été dernier, lorsque nous nous sommes retrouvés, c'est l'installation d'un micro-portable dans la cuisine, fixé sous le plan de travail, qui marquait la nouvelle étape franchie. Désormais, par la grâce du wifi installée dans toute la maison, nous aurions un accès immédiat à une recette, une photo, une info, une blague... sans nous éloigner du fourneau si convivial ! Et ce n'est pas fini, car bientôt les listes pour les courses sortiront directement d'une petite imprimante installée dans le garde-manger, avec une liaison sans fil Bluetooth !

Quand j'ai fait leur connaissance il y a un peu plus de dix ans, je ne savais pas que j'avais affaire à des pionniers des TIC. Ce n'est que plus tard que Marie-José m'a raconté les étapes de sa vie digitale, qui trouve aujourd'hui, dans la dernière ligne droite de sa carrière, son aboutissement numérico-culturel !

« Ma première découverte des nouvelles technologies remonte à 1972 (nous travaillions alors à Hollywood sur un film) : c'était tout simplement le répondeur téléphonique ! Plusieurs sociétés de production américaines en possédaient déjà là-bas et nous avons décidé d'en ramener un pour notre bureau de Montréal. Le président de la compagnie américaine est venu lui-même nous l'installer parce qu'il voulait commencer à faire des affaires au Canada et nous allions lui servir de cobayes. Nous étions les premiers ici et les gens qui appelaient raccrochaient souvent ou osaient à peine laisser des messages, ne comprenant pas ce qui se passait à l'autre bout du fil. »

Puis les Mac sont arrivés au Québec et Marie-José et Claude ont une fois encore joué les pionniers. « Nos deux Mac ont été déballés, nous les avons regardés une heure ou deux et avons essayé de comprendre. Je me suis servie de MacPaint pendant quelques heures, j'ai trouvé ça magnifique, mais pour écrire et travailler avec ces appareils, c'était un peu compliqué. Nous les avons remballés comme des bêtes étranges qui nous paraissaient difficilement apprivoisables. Elles ont dormi ainsi quelques semaines, puis nous les avons ressorties de leurs cages ». Au bout de quelques semaines, non seulement Marie-José est parvenue à les domestiquer, mais elle s'est même lancée, aidée par quelques jeunes informaticiens, dans la création de logiciels destinés à alléger le travail de production. Ils allaient lui permettre de gérer l'écriture des scénarios, de fabriquer les plans de travail (jours et lieux de tournage, accessoires, décors, acteurs, etc.), et d'alimenter automatiquement les postes budgétaires. « C'était peut-être Don Quichotesque d'essayer de faire cela à partir du Canada, dit-elle aujourd'hui. Mais j'ai eu beaucoup de plaisir. Mes jeunes informaticiens ont maintenant une grosse entreprise de logiciels dans d'autres domaines. »

Quand elle se lance deux ans plus tard dans la création de la chaîne de télévision Musique Plus, pour diffuser des vidéo-clips, c'est encore une fois l'utilisation des nouvelles technologies qui va stimuler le lancement de cette chaîne musicale francophone. Au début, elle s'est associée à la chaîne anglophone Much Music, basée à Toronto.

« Pour réussir à être diffusés à l'époque douze heures par jour sans trop de coûts de satellite, les programmes étaient constitués à Montréal dans nos studios, les animateurs partaient par avion avec les cassettes à Toronto d'où ils étaient envoyés sur l'espace satellite que nous partagions avec Much Music... »

Depuis vingt ans, beaucoup de films, de bonheurs et de malheurs ont jalonné la vie de Marie-José et Claude, mais ils n'ont jamais coupé le fil numérique. Quand je les ai rencontrés en 1996 alors que je faisais en France mes premiers pas sur internet en bas débit, Marie-José surfait déjà en haute-vitesse de l'autre côté de l'Atlantique. Aujourd'hui, le groupe de média Québécor lui a demandé de participer à un nouveau projet philantropique et culturel. Avec Claude, elle lui a trouvé un joli nom, « le projet Elephant[1] », comme la mémoire de l'animal. Le but ? Numériser tous les films du patrimoine québécois (environ 1 000) et les distribuer en vidéo à la demande à la télévision et à partir d'un portail Internet sur un site qui sera consacré au cinéma québécois. D'importants partenaires, comme la Cinémathèque, ou l'Office National du Film, vont être associés à ce vaste et passionnant chantier. « Il s'agit de numériser environ 800 films qui ont été produits avant que la numérisation ne soit une étape de la production des films. »

---

1. http://eléphant.canoe.ca/

En marge d'Elephant, Marie-José travaillait aussi l'été dernier, à l'aide d'une tablette graphique et de son ordinateur, à un autre joli projet : un livre de coloriage pour les 100 ans de l'hôpital des enfants Sainte Justine de Montréal, qui racontera l'histoire de l'hôpital et sera distribué à chaque enfant hospitalisé.

Pourrait-elle vivre sans ces outils numériques ? La réponse est claire : « Non, plus jamais. Nous demandons même maintenant si les hôtels où nous prévoyons d'aller ont le wi-fi et choisissons en conséquence ! » Et Marie-José de revenir sur son parcours et d'analyser avec finesse les chances et risques de ce monde digital : « Je n'ai aucune appréhension devant ce monde numérique, mais je suis très heureuse d'avoir pris le train tôt. Il n'est certainement jamais trop tard. Deux vieilles dames de 92 et 94 ans, des voisines à Saint-Paul, se sont mises à l'ordinateur, il y a deux ans, pour publier pour leurs enfants et petits-enfants un livre de leurs recettes avec de petits dessins qu'elles ont faits et qui ont été numérisés. Elles sont toutes les deux ferventes de l'Internet, mais ne sont pas accros. Ce monde numérique peut faire des miracles, mais, comme toutes les grandes inventions, il faut savoir les gérer, ne pas en devenir esclaves. Chaque soir, je me plonge encore dans la lecture-papier et je ne me vois pas encore avec l'ordinateur ouvert sur l'édredon pour lire avant de m'endormir ! »

Et le fait d'être une femme change-t-il quelque chose à l'affaire ?

« Le rôle des femmes, surtout dans l'utilisation des chats et des webcams, ressemble à celui qu'elles ont en général joué dans le passé. Les femmes étaient celles (ici en tout cas) qui tenaient un journal, celles qui écrivaient aux enfants pensionnaires, celles qui donnaient des nouvelles de la maison. C'est un peu, je pense, ce qui se passe dans cette ère électronique. Il faut que ces outils servent à la transmission de sentiments plutôt qu'à un simple échange laconique de messages professionnels. À mon avis, cette transmission ne peut se faire sur un Blackberry, le joujou préféré des hommes d'affaires, parce qu'avec l'austérité de cet appareil il est difficile que des sentiments profonds puissent se manifester. Oui, les femmes vont faire avec ces nouveaux moyens comme elles ont fait au cours de l'histoire. Rappelez-vous Marie de l'Incarnation ! Lorsqu'elle est venue fonder les Ursulines à Québec en venant de Tours, elle a écrit plus de 10 000 lettres, des lettres qui mettaient une saison à arriver, soit aux Ursulines françaises, soit à son fils qui vivait dans une abbaye. Aujourd'hui, Marie de l'Incarnation aurait eu un ordinateur et aurait passé ses soirées à chatter avec son fils, avec ses sœurs en communauté. Cela aurait été immédiat et lui aurait sans doute ôté beaucoup d'angoisses. Elle n'aurait pas appris, avec six mois de retard, la naissance de Louis XIV ! »

Le plus important pour Marie-José (et son mari aussi bien sûr) dans son utilisation des TIC, c'est de rester en contact avec la famille éloignée, de part et d'autre de l'Atlantique. Avec les petites filles qui vivent à Paris, « on peut voir les dents qui tombent, les derniers dessins, entendre les prouesses musicales à la flûte et au piano et s'envoyer mille baisers. »

Et avec celle de 10 ans, qui vit ici au Québec, mais à 300 kilomètres au nord, Marie-José vient d'avoir une idée. « Nous avons décidé que notre prochain rendez-vous aurait lieu en compagnie de son premier amoureux ! Il dessine superbement, m'a-t-elle dit, et j'aurai la joie de voir leurs œuvres avec la webcam. »

Une webcam qui permettra aussi de montrer l'hiver prochain les mètres de neige dehors, et sans doute aussi le nouveau chat de la maison, qui s'ajoutera à la tribu de félins déjà importante. « Un chat à quatre pattes, bien sûr, me précise-t-elle dans un éclat de rire. Pas un CHAT sur internet ! »

***

Après la danse hip-hop et le cinéma québécois, c'est vers une autre scène artistique et numérique que mes pas se dirigent sur l'île de la culture.

Une scène résolument tournée vers l'avenir, aux confins de l'art, des bio et des nanotechnologies[1], dans un univers d'artistes numériques, méticuleusement observé et raconté depuis quelques années sur son blog[2] par une jeune femme devenue une référence sur cette planète d'avant-garde.

Comme pour beaucoup de ses compagnes digitales, rien dans la vie de Régine, née en Belgique il y a une trentaine d'années, ne laissait entrevoir quelle serait sa vie aujourd'hui. Rien si ce n'est peut-être sa curiosité, son éclectisme, son envie de savoir et de transmettre.

Après des études classiques (hypokhâgne et khâgne, encore...) en Belgique et en Angleterre, elle devient professeur de latin/grec pendant un court moment avant de travailler comme documentaliste à la télévision belge, puis comme reporter pour la radio espagnole. Mais c'est en Italie que son chemin va croiser le numérique et se tourner résolument vers l'art et le futur. Dans le cadre d'une mission culturelle pour la Commission européenne, elle s'installe sur la péninsule mais très vite, son travail l'ennuie un peu. Ses rencontres en revanche vont s'avérer décisives, notamment celle d'un garçon qui lui apprend que l'on peut faire de l'art avec un téléphone portable ! Faire des photos, les envoyer sur un site internet, en faire de l'art numérique,

---

1. Les nanotechnologies permettent de maîtriser et d'assembler des matières mesurées à l'échelle du nanomètre (un milliardième de mètre), les biotechnologies sont l'application de la science et de la technologie aux organismes vivants à d'autres matériaux vivants ou non vivants pour la production de savoir, biens et services.

2. http://www.we-make-money-not-art.com

c'est possible. La jeune femme, curieuse, commence à étudier de près le phénomène. Elle observe, lit, fait des photocopies, et range soigneusement toutes les informations glanées à droite et à gauche dans de grands classeurs. « Pourquoi n'écrirais-tu pas un blog ? », lui suggère un jour un ami. Jusque là, Régine pensait que les blogs étaient plutôt réservés « aux jeunes adolescents boutonneux et frustrés américains ». Mais elle se lance quand même, avec de plus en plus de passion, car le blog, qu'elle baptise we-make-money-not-art, s'avère en effet la plate-forme idéale pour rencontrer de multiples artistes, *designers*, amateurs, hackers, qui utilisent les nouvelles technologies. Les hackers[1] sont des gens curieux, passionnés de nouvelles technologies, spécialistes des réseaux et qui essaient de montrer des utilisations innovantes en les rendant plus accessibles. Au début, elle s'intéresse aux technologies digitales existantes. Et raconte comment les artistes les utilisent de façon ludique, ou comment ils sont parfois précurseurs en créant ou inventant des objets ou des concepts qui quelques années plus tard feront leur apparition sur la toile ou la scène numérique. Petit à petit, elle s'ouvre aux technologies émergentes, celles des biotechnologies et des nanotechnologies. Là, elle découvre que les artistes, à travers leurs recherches et leurs créations, jouent un rôle qui dépasse parfois leur seul rôle d'artiste.

---

1. pour une définition très argumentée des hackers, aller sur http://www.secuser.com/dossiers/devenir_hacker.htm

Ils sont les premiers à sentir les implications – éthiques, sociales, génétiques parfois ou même philosophiques – de certaines technologies. Les caméras de surveillance, les ondes électromagnétiques, la géolocalisation... Pour beaucoup, celles-ci auront des conséquences sur notre vie quotidienne, notamment dans les villes. Régine guette et suit ces artistes qui anticipent les peurs multiples de nos concitoyens face aux futures avancées du numérique. Et la jeune femme de montrer par exemple sur son blog le projet de robe gonflable d'une artiste, Anne de Gersem, qui a créé une sorte de bulle d'intimité pour la personne qui l'active, en forçant les gens qui l'entourent à s'écarter.

De fil en aiguille, *we-make-money-not-art* devient un must. Ce n'est pas le seul blog sur le sujet, mais son style va peu à peu s'imposer. Ce qui intrigue bien sûr au début, c'est son regard féminin. Ses visiteurs sont à 80 % masculins, dit-elle aujourd'hui. Très vite, Régine devient une référence, et, à l'instar d'Emily, d'Anne ou de plusieurs autres femmes croisées sur les différentes îles, elle va changer sa vie grâce au numérique. Avec une différence peut-être par rapport aux autres : sa mobilité perpétuelle. Régine voyage beaucoup, part en reportage, fait des photos, rencontre et interviewe des artistes, et raconte tout au fur et à mesure sur son blog. Aux confins des arts et de la technologie, les sujets d'intérêts sont multiples, de l'architecture subversive à la mode interactive, en passant par mille autres inventions. L'audience qu'elle génère ainsi va peu à peu asseoir sa légitimité et sa crédibilité dans le monde artistique. On lui demande d'écrire des chroniques, puis on la sollicite pour faire des conférences ou des ateliers ou même être commissaire d'exposition un peu partout dans le monde. Lorsque nous nous sommes parlées en septembre dernier, elle revenait de New York et s'envolait pour Amsterdam, Barcelone et Paris. Et devait participer à de grandes conférences sur les technologies émergentes comme celle de la *Lift* à Genève en février 2008 ou celle d'*O'Reilly* en mars à San Diego. Un rythme trépidant qui lui laisse peu de temps pour s'adonner à une autre de ses passions, les produits de beauté, rouge à lèvres ou autres fards, qu'elle assouvit le plus souvent en lisant les avis des consommatrices sur les multiples blogs qui leur sont consacrés ! Aujourd'hui, Régine vit à Berlin « parce que c'est une des villes les plus passionnantes au monde quand on s'intéresse à l'art », même si Brooklyn la tente aussi. Un jour peut-être. Mais son ami vit à Turin et ses parents, qui n'ont toujours pas Internet, sont toujours en Belgique.

En attendant, Régine se penche quotidiennement sur l'avenir du numérique qui passera selon elle par le *bioart*, ou l'utilisation de la matière vivante dans la création artistique. Le laboratoire australien Symbiotica, qui travaille à l'exploration des sciences biologiques avec une approche artistique, semble la passionner. « Le XXIe siècle a commencé avec le numérique et terminera avec les bio et les nanotechnologies », dit-elle aujourd'hui.

9.

L'île de l'amour et de la séduction

Amour, désir, trahison, romantisme, divorce, adultère, sexe...Toute la gamme des relations hommes/femmes se conjugue désormais au numérique. La toile fourmille de sites de rencontres, des plus inoffensifs aux plus pornographiques. On dit ainsi que l'Internet a donné naissance à l'adultère en ligne, mais qu'il existe aussi de belles histoires romantiques sur la toile !

En me promenant sur les îles précédentes, je m'étais aperçue que les TIC s'étaient glissées dans tous les interstices de la vie, et je ne suis donc pas étonnée qu'elles aient aussi infiltré l'histoire intime des femmes. S'il y a ainsi de jolies plages de sable blanc et pur sur cette île de l'amour et de la séduction, l'on y trouve aussi le plus sordide.

En la matière, les progrès de la technologie, avec l'explosion du haut débit et de la vidéo n'ont pu que stimuler l'imagination des amateurs et créateurs de contenus !

Inutile donc de s'attarder dans les allées les plus sombres de la pornographie numérique. Lorsque l'on tape le mot « sexe » sur Google, on obtient 52 400 000 réponses instantanées et 72 700 000 quand on tape le mot amour ! Ainsi que de multiples liens publicitaires tous plus explicites les uns que les autres ! Ce qui est plus inquiétant, c'est que l'on peut également, sans avoir tapé le moindre mot ambigu sur google mais en visitant tout simplement des sites anodins, cliquer au hasard sur un lien qui en entraîne un autre, puis un autre, et tomber sur des images ou des propos très explicites, voire choquants, pour un public non averti.

Marie Choquet, épidémiologiste et directrice de recherche à l'Inserm[1], expliquait le 13 novembre dernier dans un colloque consacré aux enfants et aux écrans que 60 % des jeunes (42 % de filles et 77 % de garçons) avaient déjà vu des images pornographiques sur la télévision, la vidéo ou Internet dès l'age de 14 ans[2] ! Certes, il existe en principe des logiciels de protection des mineurs, qui bloquent l'accès à certains sites suspects. Les plus perfectionnés de ces logiciels sont censés analyser quasiment en direct le contenu des pages afin de les bloquer avant qu'elles ne sautent aux yeux des enfants. J'espère qu'ils sont vraiment efficaces !

---

1. Institut National de la Santé et de la Recherche Médicale.
2. Colloque « Enfants, écrans qui dévore qui ? », 13 novembre 2007.

Si le lien entre numérique et pornographie n'est donc malheureusement pas très surprenant (tout en étant très rentable pour les commerçants du cybersexe !), j'ignorais en revanche que les TIC sont désormais parties prenantes de contentieux entre les couples. Dans son livre *Le couple, l'ordinateur et la famille*[1], la sociologue Laurence Le Douarin consacre plusieurs pages aux relations entre les TIC, l'adultère et le divorce. Elle raconte notamment comment certaines femmes ont utilisé leur savoir-faire en TIC – que ne soupçonnait souvent pas leur mari – pour espionner et piéger ces derniers qui s'étaient engagés dans une relation adultère à grand renfort de SMS ou courriels ! Et l'auteur d'étendre ses investigations au-delà des frontières françaises : « Au Royaume-Uni, l'office britannique des statistiques incrimine Internet dans l'augmentation du taux de divorce. Les sites de rencontres, les chatrooms et autres forums, comme les sites qui permettent de retrouver d'anciennes connaissances et donc le premier amour, sont accusés de favoriser les "usages clandestins" et les relations extraconjugales. En Belgique, la cour d'appel de Bruxelles a pris en considération des extraits imprimés de conversations érotiques sur un chat comme motif valable de demande de divorce. [...] Outre-Atlantique, des entreprises exploitent le filon, en proposant des logiciels d'espionnage.

---

1. *Le couple, l'ordinateur et la famille*, Laurence Le Douarin, Payot.

Ceux-ci proposent de surveiller tous les faits et gestes du cybernaute soupçonné d'infidélité. Ils scrutent les sites de conversation et de messagerie instantanée et envoient ensuite par courrier électronique un rapport détaillé au conjoint méfiant ».

Un récent numéro du *New York Times*[1] relatait de son côté les tentatives d'espionnage marital *via* les messageries personnelles ou les mémoires des téléphones portables, ainsi que le nombre croissant d'actions en justice menées à partir de ces nouveaux témoignages technologiques... dans les affaires d'adultère !

Certes, l'espionnite, l'infidélité et les séparations n'ont pas attendu Internet pour exploser en France, le minitel rose ayant été un excellent précurseur. Reste que, si les TIC ne les inventent pas, elles facilitent certaines pratiques, pour espionner ou tromper son partenaire. Mieux vaut ici prendre le parti d'en sourire. En lisant par exemple sur le site du *Daily Telegraph*[2] l'histoire de ce couple bosniaque qui s'est fait la cour sur un site de chat sans savoir qui était qui ! Elle et lui avaient décidé d'épicer un peu leur vie sentimentale, lui à partir de son travail et elle dans un café internet, lui sous le pseudo de *Prince of Joy* et elle de *Sweetie*. Ils avaient fini par se donner rendez-vous. « Quand j'ai vu

---

1. *Wary spouses employ technology for Spying*, The NYT/Le Monde, 29 septembre 2007.
2. 18 septembre 2007 *One couple cheated with each other*, http://www.news.com.au/dailytelegraph/story/0,22049,22439156-5012895,00.html

mon mari avec une rose, j'étais bouleversée, expliquait la jeune femme de 27 ans. Je me suis sentie trahie et j'étais très en colère ». Le mari de 32 ans avouait de son côté : « J'étais si heureux d'avoir trouvé enfin une femme qui me comprenait ! »

Las ! L'histoire ne les a fait rire ni l'un ni l'autre puisqu'ils ont fini par divorcer !

Une fois que la décision de se séparer est prise, les TIC peuvent également jouer un rôle... pédagogique. À l'automne 2007, un nouveau site, « Elledivorce.com », dont l'équipe dirigeante est largement féminine, s'est ouvert en ligne pour donner des conseils pratiques et juridiques et proposer un forum de discussion pour partager les expériences de séparation. Autre nouveauté découverte à la veille de terminer ce chapitre, un site qui fournit des alibis virtuels sur commande pour vous aider à justifier vos absences ! Ce n'est d'ailleurs pas sur la toile que je l'ai découvert mais en lisant l'hebdomadaire *Le Point*[1], qui raconte que « le petit business de l'adultère commence à prospérer en France, surtout auprès des femmes qui représentent 40 % des clientes ». La fondatrice d'Alibila, ex-détective privée, expliquait : « Les femmes qui étouffent dans leur mariage ont un jour ou l'autre besoin de prendre l'air. Mais elles veulent préserver leur couple, alors elles se disent que les petits mensonges valent mieux que les grands drames. »

---

1. *Le Point*, « Des alibis sur mesure », Audrey Lévy, 25 octobre 2007.

Dans un autre registre féminin numérique, en octobre dernier, un site ouvertement tourné vers la sexualité, s'est lancé sur la toile. Clin d'œil au *Deuxième Sexe* de Simone de Beauvoir, ce nouveau site élaboré par des femmes pour les femmes qui souhaitent « trouver sur internet un lieu unique où retrouver toutes sortes d'informations, de questions ou de produits sur la sexualité féminine », est réservé aux plus de 18 ans. La presse, dont *Le Monde*, s'est fait l'écho de ce portail érotique qui, à côté de conseils en tout genre, littérature, films ou sextoys à acheter, permet aussi de s'envoyer des *sextos,* à 35 euros le pack pour un mois ! Au moment où j'écris ces lignes, le service n'est pas encore opérationnel, mais la description en est précise : « Si vous souhaitez réveiller la libido de votre partenaire, il ou elle recevra pendant un mois des sextos d'une longueur de un à quatre SMS pour que les plus grands esprits libertins du XVIIe au XIXe siècle puissent exciter ses journées de leurs fantasmes hors de l'ordinaire. » Quand libido rime avec TIC...Les conceptrices de ce site rêvent d'inventer un nouveau genre, celui de « la pornographie esthétique » !

***

Difficile de parler d'amour et de numérique sans évoquer les sites de rencontres, au premier rang desquels le quasi mythique *Meetic*, créé il y a presque sept ans... par un homme ! Le sujet suscite les passions. Il y a ceux et celles qui ne tenteront l'aventure pour rien au monde, même au prix d'une solitude regrettée. Ils voient dans Meetic, pour reprendre les termes de Natacha dans une de ses chroniques, « un supermarché relationnel qui a privatisé Cupidon », ou encore une sorte de « google de l'amour où les êtres ne sont plus des sujets, mais de simples objets ». Et il y a ceux et celles qui, après avoir beaucoup attendu ou tout essayé, ont osé franchir le pas.

Si l'on s'en tient aux faits, Meetic est présent dans quinze pays et compte déjà 10 millions de visiteurs. Les belles histoires y fleurissent, comme celle que je lisais l'été dernier dans un magazine[1], qui racontait qu'Hélène y avait trouvé l'amour de sa vie en 2004 : « J'y suis allée par curiosité, un week-end où je n'avais rien de prévu. J'avais vingt-sept ans. À cet âge-là, les sorties en boîte ou dans les bars, on en a un peu soupé. Les occasions de lier de nouvelles connaissances se raréfient. Célibataire depuis quelque temps, j'avais besoin de rencontrer quelqu'un. Alors je me suis dit : pourquoi pas ? J'ai passé deux bonnes heures à remplir mon profil. En étant sincère sur moi-même, sans essayer de me vendre. » Après quatre mois de recherches et de rendez-vous sans lendemain, Hélène tombe sur la fiche de Patrice. Elle lui envoie un petit mot : « Ton profil me plaît. »

---

1. *Paris-Match*, du 2 au 8 août 2007.

Et vogue la gondole...

En septembre 2007, alors que je retrouve Sarah qui vient d'y prendre ses nouvelles fonctions, Meetic continue à prospérer, puisque selon un responsable de l'entreprise, 45 000 nouvelles personnes s'y inscriraient chaque jour en Europe. La nouveauté du site, abondamment relatée dans les media, c'est le poids croissant des femmes. Au début, les trois quart des annonces étaient masculines. Aujourd'hui, c'est 50/50. En fait, tout le pari de Meetic a été de faire en sorte que les femmes assument de se rendre sur un site de rencontres. Dire dans un dîner « oui, je suis sur Meetic et alors ? », aller sur un site de rencontre serait devenu socialement acceptable, dit-on chez Meetic. Mieux que cela. Ce sont paraît-il les femmes qui font le plus souvent le premier pas et mènent le jeu amoureux. En France, la dernière campagne de promotion entérinait cette évolution puisqu'elle affirmait sur ses affiches : « Les règles du jeu ont changé. » Le site aurait choisi le parti pris de l'impertinence et cassé les codes classiques de la rencontre en mettant en avant sur ses affiches une jolie jeune femme à l'allure moderne et libre plutôt qu'un couple romantique un peu trop classique. De quoi valoriser l'image des femmes, sans déplaire aux garçons toujours séduits par les jolies filles ! Si les femmes sont aux commandes en France, ce n'est pas le cas dans tous les pays. « Le profil des meetic girls dans les différents pays dépend beaucoup de l'environnement social, politique et religieux du pays. En

France, les campagnes sont plus provocantes qu'en Italie par exemple. En Espagne, s'ajoute le phénomène grégaire : les filles se baladent ensemble dans la rue, et ensemble sur la toile, elles sortent en bande », m'explique un responsable du site.

Un peu sceptique sur la nature vraiment romantique de toutes ces aventures en ligne, j'interroge mon interlocuteur. N'est-ce pas aussi un vaste marché de doubles vies ?

Non, se défend-il. « C'est comme dans la vraie vie. Il y a des hommes qui enlèvent leurs alliances dans la vraie vie, et qui vont le faire sur Meetic. Mais il y a aussi beaucoup de belles histoires, romantiques, romanesques même et épistolaires. Contrairement à ce que l'on croit, à savoir que toutes ces rencontres se font à toute allure, les couples prennent parfois beaucoup de temps à s'écrire, à échanger avant de se rencontrer. C'est finalement une façon de redonner de la valeur à l'épistolaire. Et attention, le piège de l'orthographe est fatal ! Certes on a rajouté la vidéo et le téléphone, mais la place de l'écrit est toujours importante. »

***

Il y a aussi, heureusement, une vie amoureuse en dehors des sites de rencontres, des forums ou des réseaux sociaux virtuels. Et cette vie amoureuse peut aussi s'épanouir grâce au numérique.

À commencer par la messagerie électronique. Il y a presque un an qu'Antonia entretient une histoire d'amour avec un homme avec lequel elle a échangé pas moins de 500 mails ! Le numérique n'a fait qu'aviver la passion de cette femme qui pensait pourtant n'aimer que les vraies lettres d'amour...

« Au début, cela me faisait drôle de déclarer mon amour par mail et de recevoir le sien de cette manière. Il me manquait l'attente de la lettre, l'excitation de l'ouverture de la boîte aux lettres (est-elle arrivée ou non ?), le côté érotique que je trouve toujours à l'écriture des hommes que j'aime, l'analyse intuitive que je fais de cette écriture, élégante ou non, régulière, irrégulière, petite, grande, etc... L'odeur du papier, et tous les fantasmes qui sont liés à la feuille qui a été choisie, touchée par celui que l'on aime, pliée par lui, à laquelle il a peut-être ajouté de petits dessins, collé une fleur... Donc j'ai demandé une *vraie* lettre, que j'ai attendue car lui, il est à fond pro mail. La *vraie* lettre est arrivée un jour, sur du papier musique, une vraie écriture que je n'aurais jamais connue sinon et que j'ai immédiatement adorée ! »

Cette messagerie amoureuse est entrée dans la vie d'Antonia et l'a même transformée : « J'ai ajouté aux gestes quotidiens les plus automatiques celui d'ouvrir mes mails, et j'avoue lutter parfois pour ne pas le faire plus souvent. Cette immédiateté qui me dérangeait au début, ce côté impersonnel du mail, a été en fait une énorme libération pour moi. Le fait, sans doute, d'appuyer simplement sur une touche pour envoyer un message, sans prendre parfois le temps de le relire, sans tergiverser des heures pour savoir si vraiment je dis ça ou pas ça, sans même avoir le temps de passer d'une humeur à une autre, a transformé la femme et en l'occurrence la femme amoureuse que j'étais. Quand je parle de transformation, ce n'est pas uniquement dans la tête, c'est aussi dans le passage à l'acte, en dehors des moments passés à écrire. Bien sûr, la transformation n'aurait pu se faire sans "l'autre", qui répond à mes mots, qui pousse ou qui freine ; ce dont je suis presque certaine c'est que cette transformation n'aurait pas été aussi rapide, n'aurait peut-être pas eu lieu non plus sans ce support de la correspondance par mail. En fait, pour faire court : j'ai osé, j'ose, par mail, tout dire ! Concrètement, cela veut dire oser écrire dans différents registres du langage amoureux, du plus romantique au plus érotique, voire très cru et ça, pour moi, ça a été libérateur. Libérateur aussi finalement ce geste d'écrire quasiment chaque jour, presque comme on écrirait un journal. L'imagination n'a pas de limites ; elle est libérée. »

Joli témoignage que celui d'Antonia, mais que se passe-t-il en cas de panne subite de l'ordinateur ? Ne risque-t-on pas de perdre toutes ces lettres d'amour électroniques ? « La fragilité des mails me terrorise un peu. Une fausse manœuvre, un moment de fureur, une décision intempestive... et hop, plus rien ! » Et de se souvenir qu'une de ses amies a fait un jour cadeau à son amant de l'impression sur papier précieux de tous les mails qu'elle avait échangés avec lui.

Encore plus volatifs, les SMS, ou textos, amoureux, que le sociologue Pascal Lardellier, qualifie de haïkus[1] numériques dans son passionnant ouvrage *Le Pouce et la souris*[2] ! Des textos romantiques beaucoup utilisés par les adolescents, poursuit le sociologue : « Alors que le sexe inonde le net, écrit-il, l'amour avec un grand A submerge les petits écrans des textos. Un nombre de plus en plus important de ruptures, mais aussi de réconciliations, d'invitations intimes, de promesses transies et de déclarations enflammées empruntent la voie des SMS. Tour à tour loquace et muet, le cœur... a ses réseaux que la raison ignorera encore longtemps. »

« C'est moins long mais tout aussi intense ! renchérit Emmanuelle. Je suis devenue une experte du genre et j'explose mon forfait SMS tous les mois. Ce qui est dur c'est qu'on ne peut pas les garder. Une fois, j'ai vu un homme photocopier ses SMS, c'était peut-être le téléphone dérobé à sa femme avec tous les SMS de ses relations secrètes ! Comme je n'arrive pas à effacer les messages que j'aime, j'ai ouvert un dossier sur mon ordinateur

---

1. Les haïkus sont des poèmes extrêmement brefs d'origine japonaise, et qui visent à dire l'évanescence des choses.
2. *Le pouce et la souris*, Enquête sur la culture numérique des ados, Fayard.

intitulé « mots d'amour » et j'y recopie les messages que j'aime.

Marie enchaîne : « Le SMS rassure par son immédiateté et manque cruellement quand il n'est plus là et qu'on l'attend. Quand les SMS se perdent en route, c'est l'horreur absolue. Une de mes amies a un jour reçu de ma part un SMS amoureux qui ne lui était pas du tout destiné ! Mais j'ai décidé d'assumer et de ne pas me sentir coupable d'être vivante ! »

Tout n'est pas rose cependant au royaume de l'amour numérique...

« Les nouveaux modes de communication sont formidables mais ils sont aussi vraiment facteurs de stress. Et la notion de temps qui est si importante dans une relation en est complètement transformée, reprend Antonia. Il nous appartient alors de vivre cette maturation indispensable d'une autre façon. »

***

La dernière rencontre de ce livre s'appelle Cathy. Je l'ai choisie parce que son parcours résume presqu'à lui tout seul le chemin de toutes les autres. Et sans doute aussi parce que nous avons découvert au fil de nos conversations électroniques qu'il existait entre nos deux destinées, une foule de points communs. Comme celui d'avoir vu sa vie de journaliste bouleversée par un homme pas tout à fait comme les autres !

Observatrice et actrice inlassable des TIC depuis plus de dix ans, elle a fait escale à un moment ou un autre de sa vie dans pratiquement chacune des îles parcourues dans ces pages. Nous nous étions croisées à plusieurs reprises depuis cinq ans, mais c'est ici que je l'ai finalement retrouvée, sur cette île de l'amour, car c'est bien au nom de celui-ci, qui s'appelle Pierre, qu'elle s'épanouit aujourd'hui à Genève.

Comme pour Oriane, Isabelle, Cécile, Natacha et bien d'autres, c'est au milieu des années 90 que la vie numérique de Cathy, qui fait ses premiers pas de journalise, débute. Tout commence par un mail envoyé depuis un cybercafé de Paris au Québec, « juste avant une séance de cinéma, se souvient-elle aujourd'hui. Je sors du film, pour entrer directement dans l'aventure du web : sur mon répondeur, un message de Radio Canada me proposait des piges pour parler de l'Internet en France. » Au Québec, nous l'avons déjà vu avec Marie-José, la vie numérique était déjà vivace, et les media s'intéressaient à la façon dont l'aventure du web allait se développer en France. Cathy devient en quelque sorte une des expertes françaises en la matière, envoie des chroniques régulières à la radio canadienne. Rapidement, elle élargit son carnet de piges et rejoint la presse spécialisée française, puis la presse quotidienne. La vie de pigiste n'est pas de tout repos, mais sur l'île du business, Cathy commence à être à flots... En 1998, un de ses employeurs TV lui propose un temps plein en tant que journaliste pour l'antenne et le site web. Elle inaugure alors ce que l'on appelle le journalisme *bi-media*.

En 1998, elle quitte la télé pour rejoindre une grande radio généraliste, à la direction du service multimedia. Commencent alors « cinq années riches, intenses, rapides. Je plonge dans ce qui allait plus tard être appelé la bulle 1.0. Bizarrement, sur le web, la vie n'a pas le même tempo, dit-elle aujourd'hui. Tout va très vite, ou très lentement. Avec Internet, j'ai toujours eu l'impression d'être à deux. Dans le dialogue avec l'outil et avec moi-même ». Parallèlement, c'est pendant ces années d'intense activité professionnelle qu'elle inaugure aussi sans le savoir la fin de sa première vie. Maman d'une petite fille de 2 ans, elle se sépare de son mari.

« 2003, petit passage à vide, le temps de réfléchir », note-elle aujourd'hui. Et de laisser à l'Internet le temps de renaître sous sa nouvelle vie du Web 2.O.

« Le désert est plein mais, la nature ayant horreur du vide, la radio me rattrape. Retour au bercail. Je redéploie mon antenne cette fois sur le parvis de la blogosphère ». Car, entre temps, les blogs ont fait leur apparition sur la toile. « Les blogueurs et les blogueuses du monde entier se croisent sur mon micro (informatique). Un univers fascinant que j'explore inlassablement ».

Passionnée par le multimedia, elle l'est aussi comme il se doit par les outils numériques, et passe du temps sur l'île des geekettes, à jongler entre ses ordinateurs, fixe et portable (très Mac elle aussi...), son Blackberry et son ipod, en attendant le nouvel iphone !

Un beau soir du début 2006, lorsqu'elle entre dans le studio pour une énième émission sur les nouvelles technologies, elle ne sait pas que sa vie va suivre un nouveau chemin. L'émission se passe très bien. Ses deux invités, acteurs du web, ont beaucoup de choses passionnantes à raconter, elle une foule de questions à poser. À minuit, lorsque les lumières s'éteignent, elle a le sentiment d'avoir bien fait son travail et peut-être aussi celui, encore confus, d'avoir rencontré un homme, Pierre, blogueur, entrepreneur, voyageur... vraiment très intéressant ! Mais rien de plus... Elle est heureuse de recevoir dès le lendemain un mail de sa part la remerciant pour l'émission de la veille, et un peu surprise de son invitation à dîner lors de son prochain passage à Paris.

La jeune femme hésite, et puis dit oui. C'est le début d'une belle histoire d'amour, qu'elle raconte aujourd'hui avec des mots de petite fille.

« Il m'emporte avec lui dans son jardin secret, la planète et sa grande nature » et quelques mois plus tard, Cathy déménage en Suisse. « Genève, le centre du monde. Là où le web a été inventé ! »

Dans une grande maison au bord du lac, elle invente sa nouvelle vie. Si elle garde une chronique radio sur les blogs, *la revue du net*, en version hebdomadaire, elle sent que sa vie, aux côtés de Pierre et à l'aube de ses 40 ans, est en train de basculer. Les autres îles du numérique l'attirent. Celle de la conversation bien sûr. En septembre 2007, elle décide de se mettre elle aussi à bloguer. « Ma vie numérique 2.0 vient tout juste de commencer », et d'une façon originale puisqu'avec Pierre, c'est un blog à quatre mains[1] qu'ils ouvrent sur la toile : *Kelblog*, clin d'œil au *Kelkoo* qu'avait inventé Pierre quelques années plus tôt. « Finalement, après dix ans d'observation de l'Internet, je suis enfin passée à l'action. » Un blog sur les technologies observées par leur double regard, curieux et complémentaire, d'entrepreneur et de journaliste. Un blog qui leur ressemble et où transparaient souvent leur humour et leur quête de quelque chose qui semble les dépasser.

Un beau jour, Pierre a une idée que Cathy va l'aider à réaliser : pourquoi ne pas faire de ce blog une sorte de plate-forme de lancement pour les futurs entrepreneurs du web qui ont des projets intéressants et réalistes ? Aussitôt pensé, aussitôt fait. Un concours est ouvert aux candidats qui peuvent envoyer leur projet en vidéo, en utilisant les plates-formes de partage Dailymotion ou Youtube !

Mais Cathy se sent aussi attirée par l'île de l'engagement, aux croisements de l'humain et de

---

1. http://www.kelblog.com

l'humanitaire. Elle a rencontré une ONG à Genève, *Human Rights Watch*[1] qui répond à ce qu'elle recherche aujourd'hui. « Je ne suis pour l'instant qu'une toute petite sympathisante dit-elle, mais HRW et les ONG autour des droits de l'homme arrivent comme un révélateur aujourd'hui dans ma vie. C'est un peu la synthèse de toutes les valeurs autour desquelles j'ai construit ma vie : la rencontre, la relation, par les technologies, la justice, la différence. C'est une part de moi qui ne s'était jamais exprimée et qui sera sans doute le nouveau moteur de ma vie sociale dans les prochaines années. »

Sa petite Julie, 8 ans aujourd'hui, vit avec elle à Genève, et pour elle, Cathy se sent aussi en mission sur l'île de la transmission. Dans dix ans, sa fille aura 18 ans. Comment la journaliste, blogueuse, spécialiste des TIC, voit-elle l'avenir numérique de sa fille, que veut-elle lui transmettre ? « Quand elle aura 18 ans, j'espère qu'elle aura compris comment se fabrique et se diffuse l'information sur internet. J'espère qu'elle saura discerner l'info de la rumeur et distinguer une information importante et fiable du reste. Idem pour les gens auxquels elle pourra être confrontée en ligne sur Internet (ou dans la vie). Le plus important pour les enfants c'est qu'ils comprennent qu'Internet est un monde ou tout est possible, mais dont il ne faut pas être dupe ».

---

1. *http://www.humanrightswatch.org*

Quant à son avenir avec Pierre dans dix ans, elle le voit toujours autant marqué par le numérique. « Dans la balance entre Internet et radio, le blog pèsera sans doute plus lourd qu'aujourd'hui. Et avec Pierre, ils auront sûrement d'autres projets numériques à réaliser. Ils ont encore tellement de rêves, eux qui ont écrit sur la page d'accueil de *kelblog* : « Seuls ceux qui croient en leurs rêves peuvent les réaliser ».

« Mais je suis convaincue que je serai aussi moins connectée que maintenant dans ma vie personnelle », ajoute-t-elle.

À l'avenir, tout le monde sera connecté. *Atawad* (*any time, anywhere, anydevice*), pour reprendre un néologisme bien connu dans le langage de ces années web 2.0. c'est-à-dire n'importe quand, n'importe où et sur n'importe quel support. L'Internet, plus facile et moins cher sera massivement présent dans la vie de tous les individus.

« Le grand luxe sera alors d'être déconnecté prédit Cathy. De « savoir » se déconnecter (encore une question d'éducation), de regarder de beaux paysages, sans être reliés à son téléphone ou à Internet. Je sens que je prends déjà cette voie. Pierre est un expert de l'addiction et de la déconnexion. Juste être relié à soi. Et choisir le moment où l'on se reconnecte. »

Épilogue

Il fait doux encore en ce samedi d'automne, lorsque je franchis le seuil de cette école élémentaire qui célèbre son soixante-quinzième anniversaire. Tous les participants, petits et grands, enfants, parents, enseignants, ont joué le jeu de la reconstitution et sont habillés en vêtements du début du XXe siècle, avec blouses grises pour les petits garçons et nœuds dans les cheveux pour les petites filles. Dans le gymnase rempli à craquer est projeté un film retrouvé dans les archives de la ville : la cérémonie d'inauguration officielle de l'école en 1932. Sur les images en noir et blanc, défilent beaucoup de messieurs avec des chapeaux melon, la cigarette au bec. Et bien peu de femmes.

Soixante-quinze ans plus tard, ce sont les femmes de l'école et du quartier qui ont pris les choses en main pour organiser cette belle matinée de transmission entre les générations. Au moment des discours, l'une d'elles s'interroge : « Pourquoi avons-nous voulu marquer cet anniversaire maintenant en 2007, sans attendre le centième anniver-

saire en 2032 ? » Et de continuer dans un sourire :
« Tout simplement parce que nous ne savons pas
ce que sera devenue l'école à cette date-là ! Un
cybercafé peut-être avec des élèves qui choisiront
les profs en ligne en fonction de leur capacité
à raconter des blagues ? » J'écoute les réactions.
Certains rient et plaisantent, comme si cette perspective relevait de la science-fiction ou tout simplement d'une promesse amusante, mais je vois
aussi dans le regard de beaucoup circuler une
angoisse diffuse. Et si c'était vrai, et si ce n'était
que le début de quelque chose de pire ?

Car derrière la pointe d'humour de la maî-
tresse se cache une vraie interrogation. Sera-t-il possible dans vingt-cinq ans de célébrer ensemble, sous
le préau d'une école en briques, dans la vraie vie
et non dans un monde virtuel, fut-il en trois
dimensions, avec des êtres de chair et de sang et
non pas des avatars, l'anniversaire d'une école née
au début du XXe siècle ? Sans doute, mais...

Au fond de la cour de récréation, dans le brou-
haha qui suit les discours et précède le buffet, je
tente de faire le point sur les rares certitudes et les
nombreuses incertitudes qui planent sur notre avenir numérique.

Socrate dans ce XXIe siècle numérique aurait
eu une fois de plus raison en affirmant que « la
seule chose que je sais, c'est que je ne sais rien ».
Rien des usages en tout cas, car sur les outils et les
techniques, les futurologues d'aujourd'hui (il en
existe, j'en ai rencontrés !) sont plus affirmatifs.
Mais qui peut prévoir l'utilisation que l'homme, et

la femme, en feront ? L'histoire numérique récente nous a joué tellement de tours.

Qui aurait prédit que le SMS[1] allait révolutionner les communications personnelles ? Qui aurait annoncé l'explosion des blogs (1 nouveau blog par seconde sur la toile), ou de la téléphonie sur Internet[2] ? Personne. Se souviendra-t-on par exemple, lorsque que l'on retracera l'histoire d'Internet, de la guerre menée en 2007 entre Facebook et MySpace pour le *social adverstising* ? Peut-être...Mais le risque est très faible qu'elle laisse plus de traces dans nos mémoires que la bataille des Horaces et des Curiaces !

La *société de recommandation*, pour reprendre le terme de Joël de Rosnay[3], qui donne le pouvoir aux nouveaux créateurs/influenceurs que nous allons tous devenir, aura-t-elle définitivement remplacé la société de l'information ? Et si oui, les femmes, expertes de ces réseaux sociaux, y joueront-elles, à coups de commentaires, filtres et autres tags, un rôle majeur, comme semble le penser le conseiller du président de la Cité des sciences ?

Où seront dans trente ans les repères qui sont déjà en passe d'être totalement bousculés par le numérique ?

---

1. 4,4 milliards de messages interpersonnels (SMS et MMS) ont été envoyés au cours du deuxième trimestre 2007.(observatoire de l'ARCEP).
2. 30 % des abonnements du traffic téléphonique fixe est désormais passé en VoIP (Voice over Internet Protocol). Chiffres ARCEP id.
3. Joël de Rosnay, colloque au Sénat le 23 octobre 2007.

Celui du rapport à soi et aux autres d'abord. En trente ans, nous sommes déjà passés d'un mode de *broadcasting*, la diffusion de masse, à celle de l'*egocasting*, selon le mot de la chercheuse américaine Christine Rosen[1], ou encore à celle qu'en France on appelle l'*égologie*.

Assis, *passifs* dans notre canapé face à deux ou trois chaînes de télévision, nous sommes devenus *actifs*, déterminés à choisir, ou plutôt à *télécharger* ce que nous voulons, où nous le voulons et quand nous le voulons. L'arme fatale de cette métamorphose s'est d'abord appelée la télécommande (qui s'est généralisée dans les années 80), puis le baladeur (walkman) et aujourd'hui le téléphone mobile.

Même si toute attitude passive devant son écran de télévision n'a pas disparu pour autant, il nous reste les retrouvailles télévisuelles familiales, amicales ou de masse lors de grands événements sportifs, artistiques ou historiques, qui renvoient à la notion de « *télévision cérémonielle*[2] ».

Mais plus encore qu'*actifs*, nous sommes aussi devenus récemment *participatifs*, par la grâce de ce web communautaire, qui signe le deuxième âge de l'internet et que l'on appelle parfois joliment *la toile vivante*. Sur le terreau de celle-ci ont poussé les blogs, ces pages personnelles qui sont, surtout chez les adolescents, majoritairement féminines[3].

---

1. Christine Rosen, *The Âge of Egocasting*, *The New Atlantis*, n° 7, Fall 2004/Winter 2005, pp. 51-72.

2. *La télévision cérémonielle*, Daniel Dayan, Elihu Katz, Puf.

3. Selon Pascal Lardelllier, la majorité des blogueuses sont des blo-

Mais nous sommes aussi participatifs parce que nous pouvons, comme sur l'encyclopédie en ligne Wikipédia, participer à la création d'un contenu sur le net. Participatifs donc, mais aussi *partageurs* puisque non contents de créer notre propre contenu, (textes, sons, images), nous le partageons sur les sites dédiés comme *You Tube* ou *Daily Motion*, ou encore sur les réseaux sociaux pré-cités *Facebook, MySpace ou Cyworld*[1], sans oublier les réseaux sociaux professionnels comme *LinkedIn* ou *viadeo*. Et tous les autres.

Mais sommes-nous moins seuls devant notre écran parce que nous partageons une partie de notre intimité avec les trois cents amis de notre réseau social virtuel ?

Irrémédiablement bousculés aussi, les repères du temps et de l'espace. « Dans l'univers moderne des nouvelles technologies et du marché mondial, le temps est aboli comme autrefois l'espace par la révolution des transports », expliquait à juste titre Natacha Polony dans un de ces récents ouvrages[2].

Fin de l'attente et de la lenteur, voire du désir ou de l'ennui : nous vivons plus que jamais sous le règne de l'instantanéité. Place au très haut débit, ou à la *haute vitesse* ! Le direct permanent diffusé

---

gueuses, le plus souvent collégiennes. « Le pouce et la souris », enquête sur la culture numérique des adolescents. Fayard.

1. PLus de 80 % des jeunes coréens de moins de 20 ans sont membres de ce réseau social en Corée.

2. *Nos enfants gachés*, Petit traité sur la fracture générationelle française, Natacha Polony, JC Lattès.

du monde entier sur nos micro-lucarnes, *la life en live* diraient nos ados, la tyrannie de la rapidité, imposée aux nouveaux modes de communication comme les courriels ou bien sûr les « messageries instantanées » ou les textos, la possibilité de jeter à peine écouté ou regardé ce que l'on a mis un quart de seconde à télécharger, font craindre le pire pour nos enfants : la perte des notions de recul, de mémoire, de passé, de repères, si fondamentales pour construire leur avenir.

Je préfère me remémorer quelques unes de mes découvertes féminines rassurantes en ce domaine. Comme cette jeune femme qui impose dans son entreprise à ses collaborateurs de ne pas répondre avant quarante-huit heures (sauf urgence absolue !) aux e-mails professionnels, pour retrouver le temps du recul et de la réflexion...

Ou encore cette autre qui a ouvert son blog l'an dernier, Olive Riley[1], jeune australienne de 107 ans, devenue célèbre grâce à internet, en racontant sur la toile avec l'aide d'un ami et force photos, chansons et vidéos, l'histoire de sa si longue vie. Et qui entretient ainsi pour les jeunes internautes du monde entier la mémoire de trois siècles !

Tout comme les frontières entre modèles gratuit ou payant et entre sphère privée ou publique s'estompent peu à peu, les repères du réel et du virtuel eux aussi risquent de devenir plus flous

---

1. http://www.allaboutoliv"e.com.au %2F&btnG=Search. Olive Riley est née le 20 octobre 1899 à Broken Hill, près de Sydney.

qu'aujourd'hui. Il arrive certes de plus en plus souvent que démarrent en ligne, ou dans des mondes virtuels des aventures (ludiques, associatives, amoureuses, professionnelles...) qui se poursuivent ensuite dans la vraie vie. Et ces situations peuvent être très positives puisque la séparation entre réel et virtuel et la chronologie des deux mondes sont aisées à retracer. Mais certaines expériences, que les progrès de la 3D rendront encore plus réalistes demain, sont plus ambiguës. Est-il si facile que cela de passer sans arrêt du monde réel à la vie en ligne ? De continuer à penser, une fois débranché, au monde virtuel ?

Un pied dans chaque vie, la réelle et la virtuelle, une personnalité derrière chaque image, la vraie et celle de notre avatar, qui sommes-nous vraiment ? Celui que nous choisissons de projeter aux autres à travers nos différents écrans, et qui est peut-être l'expression de ce que nous aimerions vraiment être ? Ou au contraire, bien à l'abri derrière l'écran, celui que nous sommes réellement, mais que nous n'osons jamais montrer dans la vraie vie ?

La vie numérique de demain est pleine de tous ces mystères, mais l'on peut déjà entrevoir quelques réalités techniques et scientifiques. Les progrès de l'informatique constituent une première certitude. La puissance de calcul des ordinateurs va continuer à se multiplier, permettant à ces derniers de stocker de plus en plus de données et de raccourcir encore plus les délais d'action ! Dans le domaine des bandes passantes, l'offre devrait, selon les spécialistes[1], excéder la demande en 2020. Les progrès de la *spintronique*, qui ont récompensé notre dernier prix nobel français de physique, Albert Fert, permettront eux aussi une augmentation des capacités de stockage des disques durs d'ordinateurs ou des baladeurs audio et vidéo.

Les spécialistes[2] prévoient aussi que « l'intégration à grande échelle des systèmes informatiques au moyen de réseaux à haut-débit facilitera l'informatique en réseau, ce qui permettra aux utilisateurs, quel que soit le lieu où ils se trouveront, d'avoir accès à une grande puissance de calcul, à des capacités de stockage... » Le lancement du *Windows Home Server* par Microsoft fin 2007, qui permet à chaque membre de la famille de stocker ses documents (images, sons...) sur un serveur unique dans la maison, préfigure sans doute cette évolution qui aura pour conséquence de transformer l'ordinateur individuel en terminal.

Le développement des nanotechnologies et des biotechnologies, que l'on appelle aussi les technologies transformationnelles, auront des applications positives en matière de santé. Cela semble donner raison à Régine qui aura dans les prochaines années matière à observer de très près le développement parallèle du bioart.

La place de plus en plus grande du téléphone mobile dans nos vies apparaît également comme

---

1. *Le monde en 2025*, sous la direction de Nicole Gnesotto et Giovanni Grevi, Robert Laffont.
2. Id.

une probabilité très forte. Alors que l'on peut déjà en ce début 2008, parler, envoyer des messages, lire des livres (au Japon), photographier, payer ses achats et prendre les transports en commun grâce à son téléphone mobile[1], celui-ci pourrait se transformer de plus en plus en télécommande universelle ! Ajoutons la multiplication des puces RFID[2] dans un futur environnement totalement connecté et l'homme, habillé en vêtements intelligents et doté d'un mobile mué en véritable appendice du corps humain lui même utilisé comme un simple véhicule de données ne sera pas loin de ce fameux cyborg, ou encore de « l'homme symbiotique »[3] dont parlait, en visionnaire, Joël de Rosnay, dès 1995. En attendant de croiser dans nos maisons ou dans la rue des objets communicants[4] ou de vrais robots sociaux, fruit des progrès de l'intelligence artificielle, qui avance elle aussi à pas de géant.

Chaque pas franchi, porteur de promesses, est également en soi porteur de danger. Si la peur n'écarte pas le danger, la connaissance des risques permet sans doute de les apprivoiser. Au premier rang de ceux-ci figurent les multiples menaces sur notre vie privée : la surveillance électronique, la

---

1. Le marché japonais des livres numérisés pour les mobiles aurait augmenté de 94 % entre 2006 et 2007 pour atteindre 18,2 millards de yen (115 millions d'euros). Source Institut de recherche Economique Impress RetD.
2. RFID : Radio Frequency Identifaction.
3. *L'homme symbiotique*, regard sur le troisième millénaire, éditions du Seuil, 1995.
4. Comme les enfants du lapin Nabastag.

géolocalisation, la généralisation des puces RFID feront de nous des êtres perpétuellement épiés, notamment dans les villes, qui dès 2008, accueilleront plus de 50 % de la population mondiale.

Face à l'émergence de ces atteintes à la vie privée, c'est la revendication d'un véritable droit à la déconnexion qui est en train de naître. Cathy, à Genève, l'évoquait déjà, et puisque les femmes sont souvent à la pointe du progrès, j'écrirai peut-être dans quelques années, un livre intitulé « la femme débranchée ! ». En attendant, lors d'un passage récent à New York, mon attention a été captée par un reportage de CNN sur les « *jammer* », des petits appareils (dont l'usage est en principe illégal) qui permettent de brouiller les communications téléphoniques mobiles intempestives de ses voisins, dans l'autobus par exemple. Quelques jours plus tard le journal *Le Monde* se faisait l'écho de ces brouilleurs de portables, en évoquant également le *Zero E-Mail Friday*, initiative lancée par Intel, invitant les cadres à ne pas consulter leur courriel le vendredi[1] et de la TV-B-Gone, une télécommande un peu particulière qui permet d'éteindre toutes les télévisions.

Les risques de piraterie électronique, de spams, de virus en tout genre ne sont pas des menaces moindres pour notre vie future. Sans parler de la fameuse fracture numérique qui risque de se creuser entre les personnes et les collectivités qui ont accès aux outils de l'ère de l'information et les autres. Ce

---

1. *Le Monde*, dimanche 18 – lundi 19 novembre 2007.

fossé numérique existe déjà entre les pays indus-
trialisés et les pays en voie de développement. Mais
il risque de se creuser aussi à l'intérieur de chaque
pays, entre les riches et les pauvres, les jeunes et les
vieux, les gens qui savent lire et écrire et les anal-
phabètes, les populations urbaines et les populations rurales, et les hommes et les femmes.

Les femmes seraient, selon diverses études,
plus conscientes et plus inquiètes que les hommes
des risques créés par les nouvelles technologies. J'ai
voulu le vérifier dans mon enquête en ligne auprès
d'une centaine de femmes au long de ces derniers
mois, en leur demandant : « Pensez-vous que le
développement du progrès technologique améliorera la vie quotidienne des générations futures ou
craignez-vous qu'il ne se traduise par de nouvelles
contraintes ? »

Les réponses reflètent la variété des préoccupations et des attentes. Ainsi Micheline, la plus âgée
(83 ans), qui m'a répondu sur son ordinateur offert
par ses enfants pour ses 80 ans, n'est pas la plus
inquiète : « Les développements technologiques
amélioreront la vie quotidienne. Ils devraient
s'accompagner d'évolutions importantes dans les
comportements humains, en particulier par des
développements dans les domaines de la communication mondialiste. De ce fait, à long terme, une
meilleure connaissance des diverses civilisations
pourrait, on peut l'espérer, s'accompagner d'une
meilleure fraternité à l'échelle de la planète. Les
contraintes ? Il y en aura, mais elles seront com-

pensées par les nouveautés positives. La vie évo-
luera, comme elle a évolué depuis le temps des
cavernes... Ce n'est pas un drame ! » Quant aux
deux plus jeunes, 11 et 12 ans, rompues à la conci-
sion des textos, elles m'ont cliqué un bref « nouvelles contraintes ! » pour la première et un rapide
« améliorera la vie ! » pour la seconde.

Les autres réponses oscillent entre l'inquiétude
et l'enthousiasme, la curiosité et beaucoup de prag-
matisme.

Elles ne sont pas toutes aussi enthousiastes que
Clémence, qui pense que la « révolution numérique » est une avancée extraordinaire facilitant l'accès
au savoir et les liens entre les personnes. « Cela isole
aussi. Mais bien utilisée c'est un atout majeur. »
Elles sont plus nombreuses à craindre les dangers
plus variés cachés sous la toile, comme Claire.

« Ce que je redoute le plus avec les nouvelles
technologies, c'est la cybercriminalité (réseaux
pédophiles, jeux d'argent, pornographie, trafics
humains en tout genre, réseaux terroristes) et j'en
passe hélas ».

D'autres brandissent les atteintes aux libertés
individuelles...

« Attention à l'intrusion dans la vie privée des
personnes, le non respect de la confidentialité des
échanges... Big Brother ! », renchérit Catherine,
suivie par Delphine : « Les nouvelles contraintes
seront la surveillance continuelle et l'intrusion perpétuelle dans la vie privée. »

L'hyper connexion est aussi vécue comme une menace, tant il est vrai que nous aurons tous, hommes et femmes, à résoudre une contradiction : comment retrouver le temps de penser, comment laisser le temps au temps, dans un environnement hyperconnecté où les progrès techniques permettront au contraire d'aller de plus en plus vite ? « Certes, ces technologies permettront une plus grande réactivité mais nous aurons moins le droit à l'isolement et moins de temps pour penser avant d'agir, ajoutait Véronique-Rose. Ce sera bénéfique si on sait poser des limites. La communication se faisant plus vite et surtout à plus grande échelle ne perdra-t-elle pas en qualité ? J'entends par qualité, le temps du silence. Peut-être aussi, le temps de l'intime ».

Les suivantes mettent en garde contre les dangers du tout virtuel, comme Claire. « La perte de connexion au réel, l'abolition de tout tabou, de toutes limites chez les individus les plus « accros » et les plus fragiles psychologiquement. Que l'écran fasse écran justement à la vérité du rapport humain incarné par une personne en chair et en os ! »

Sur ce point, certains spécialistes et notamment des psychologues, considèrent que si les addictions existent, chez les adolescents en particulier, ce n'est pas le virtuel en lui même qui crée le danger. Il révèle et parfois amplifie des fragilités déjà existantes[1].

---

1. Le psychanalyste Michaël Stora, qui soigne des adolescents avec l'aide de jeux vidéos va ouvrir dans quelques mois une « clinique du virtuel ».

Brigitte se veut pragmatique : il s'agit de trouver les bons usages qui permettent de faire progresser idées et comportements. Attention, tout n'est pas virtuel, il faut donc identifier ce qui est bien réel, tandis que pour Marion : « Il ne faudrait pas gadgétiser trop. Souvenez-vous de Boris Vian et des machines diverses et variées des années 50 qui ne servent finalement à rien. Je fais toujours ma purée à la fourchette et ma liste de course avec un crayon et un papier » !

Et les unes et les autres de souligner aussi les risques de société à deux vitesses.

Ainsi Stéphane : « Ce qui m'inquiète c'est la rupture, le clivage supplémentaire qui pourrait s'installer entre les civilisations équipées et les autres. Est-ce que toute cette révolution ne va pas en laisser certains en arrière définitivement et marquer davantage les différences et les inégalités ? Pourtant je suis convaincue que bien exploités et bien développés, ces moyens pourraient s'avérer favorables (échanger, partager, informer, rapprocher) à l'évolution de toutes les générations futures. »

Ou encore Brigitte : « L'évolution technologique est un facteur de progrès et d'enrichissement de nos vies (santé, culture, échanges...). À ce titre, elle ne peut qu'améliorer encore la vie des générations futures. Mais ces évolutions ne doivent pas laisser trop de monde sur le bord du chemin et nous devons veiller à ne pas créer une société à deux vitesses. »

La fracture numérique ne s'effacera pas par des mots, mais il m'a semblé que les paroles de femmes pouvaient aider à rassurer les inquiètes et les réfractaires, donner des pistes de réflexion aux agnostiques et des signes d'espoir aux oubliées du numérique !

Mais il existe aussi d'autres catégories de femmes, que le numérique n'oublie pas. Elles sont même de plus en plus nombreuses, à être soit de simples utilisatrices, soit des actrices des TIC, soit encore des magiciennes du net !

Les utilisatrices, comme vous et moi sans doute, sont les plus nombreuses. Ce sont celles qui, sans en faire leur métier, ont introduit le numérique dans leur vie quotidienne, personnelle et/ou professionnelle. En matière d'utilisation d'Internet, les femmes sont d'ailleurs de plus en plus nombreuses et leur progression ne fait que commencer. Elles ont déjà dépassé les hommes en Amérique, et en Europe, cela devrait être fait d'ici 2010[1].

En France, jusqu'à 2006, les chiffres couramment cités mettaient les hommes en tête, mais une étude publiée récemment annonçait enfin la parité sur le net. Tout en restant moins familières que les hommes avec l'outil informatique, les femmes (des adolescentes aux seniors) sont de plus en plus complices de l'Internet.

---

1. En France, au premier trimestre 2007, elles étaient encore 47 % des internautes contre 53 % d'hommes, mais avaient beaucoup progressé par rapport à 2001. En novembre 2007, une étude Eurostat annonçait l'arrivée de la parité sur le net.

Au fil de mes rencontres, je crois pouvoir dire que pour toutes ces utilisatrices, le numérique est un formidable facilitateur de vies compliquées. Des progrès en matière de télétravail à l'utilisation des outils informatiques et numériques au bureau, la vie professionnelle a incontestablement été améliorée par les TIC. Les perspectives évoquées plus haut devraient encore la faciliter.

Qu'est-ce qu'Internet a changé dans votre vie professionnelle ? avais-je aussi demandé dans mon questionnaire. La réponse de Virginie, qui travaille dans un bureau à Paris, est un concentré des améliorations attendues : « Internet m'a essentiellement permis d'accéder beaucoup plus rapidement à l'information ; d'étendre mon champ de compétences ; de répondre de manière immédiate et presque en temps réel aux sollicitations les plus urgentes ; de développer mes relations professionnelles ; de communiquer plus facilement avec mes contacts ; de débattre plus aisément d'un sujet et d'échanger mes informations ».

Quant à celle de Diane, à Montréal, elle illustre bien l'avantage du numérique utilisé lorsque l'on travaille à la maison. « Mon bureau est à mon domicile. Je reçois mes musiques *via* mon MP3 et j'écris sur mon portable à partir de chez moi. Une fois terminé, j'envoie mon texte par Internet. Je n'aurai pas bougé de chez moi une seule fois pour écrire une chanson ! C'est un gain de temps inimaginable en éliminant les déplacements ! ».

Au-delà du travail, les femmes consomment également de plus en plus en ligne. Si la consommation globale sur Internet a connu une forte progression ces derniers mois, les femmes, qui sont responsables de plus des deux tiers des achats des ménages, y sont pour beaucoup. C'est Catherine Barba, fondatrice de Cashtore[1], qui ajoutait ce commentaire plein d'humour lors d'une table-ronde : « En matière d'achat en ligne, les femmes sont des infidèles satisfaites ! »

Les *actrices* sont sans doute beaucoup moins nombreuses, dans un monde qui reste largement dominé par les hommes, même si toutes les études démontrent la corrélation directe entre l'utilisation des talents féminins et la performance des entreprises. Mais les femmes prennent leur place et la mixité dans les entreprises de TIC sera de moins en moins une option. La prise de conscience de l'insuffisance des femmes dans les carrières scientifiques, doublée d'initiatives en la matière, permet d'être résolument optimiste pour demain. De Cécile à Anne, en passant par Isabelle, Oriane, Sarah, Natacha, Ingrid, Pauline ou Noha, les exemples à suivre ne manquent pas pour affirmer que le numérique peut aussi être un formidable outil de promotion professionnelle.

Quant aux *magiciennes*, quel joli conte de fées ont vécu tour à tour Anne ou Emily, Requia ou Sophie, Claire ou Régine, Hélène ou Cathy, Jill ou Florence. Le numérique leur a bel et bien servi de

---

1. http://www.cashstore.fr/

baguette magique pour transformer leur vie, professionnelle ou personnelle !

Grâce au numérique, de nombreuses femmes qui ne travaillent pas, ou ont arrêté de travailler pour élever leurs enfants, ont bel et bien retrouvé une vie professionnelle avec modèle économique à la clé. Installées devant leur ordinateur dans le salon, la cuisine ou leur bureau, elles se sont aménagées des espaces de travail tout à fait performants. *La longue traîne*[1] chère à Chris Anderson, pour qui l'explosion des TIC a fait succéder une économie d'abondance à celle de la rareté, va comme un gant à toutes ces femmes prescriptrices qui vont créer dans les années à venir de multiples marchés de niches[2].

D'autres ont puisé dans ce nouvel univers virtuel l'énergie de construire ou reconstruire une vie affective et sociale en tissant au fond d'un village isolé jusqu'à l'autre bout du monde, à partir de leurs *blogs*, *wikis*, réseaux sociaux ou forums, de solides plates-formes de solidarité ou d'amitié.

D'autres enfin ont choisi de faire du nouveau monde de l'internet le terreau de leur engagement ou de leur générosité, qui avait jusqu'à alors grandi dans la vie *offline*, ou qu'elles ont au contraire fait naître sur la toile.

Je quitte l'école vieille de soixante-quinze ans plus un jour, en pensant à toutes ces femmes insti-

---

1. *La longue traine, la nouvelle économie est là*, Chris Anderson, Village mondial.

2. Segment de marché très étroit, correspondant à une clientèle précise en quête de produits très spécialisés.

tutrices et professeurs qui auront demain entre leurs mains le destin des futures générations. Ces enfants du numérique qui auront l'unicode comme langue maternelle et pour qui *Canton* ne rimera plus jamais avec *chef lieu de*, mais toujours avec *Chine*.

Plus que jamais, le rôle des femmes sera essentiel. Pour transmettre la mémoire du passé et apprivoiser le progrès. C'est Olivia, maman de trois enfants de moins de 10 ans, qui le disait aussi dans une de ses réponses :

« Je pense que le quotidien des générations futures sera grandement amélioré, mais que surgiront d'autres problèmes : les jeunes voudront de plus en plus tout, tout de suite, et on leur demandera de tout donner tout de suite. On exigera d'eux de plus en plus de perfection, de rendement. Leur vie sera simplifiée, mais ils courront de plus en plus. Le progrès, c'est fantastique, cependant pour améliorer la vie des gens, il faut que nous le maîtrisions et que nous sachions nous en servir. Il n'y a rien de plus désespérant et de plus contraignant que d'avoir un outil magique entre les mains et de ne pas savoir s'en servir ! Alors, n'oublions pas dans ces développements, les formations qui vont avec... »

« Apprendre à penser », me disait Elizabeth à New York. Apprendre aux jeunes à trier et valider toutes les informations, à ces jeunes, qui, dixit Joël de Rosnay « ont externalisé leur réseau cognitif ». Ces jeunes qui sont par ailleurs souvent soumis à la triple expérimentation numérique du réseau social, du jeu vidéo en ligne et du monde virtuel.

Pour ce spécialiste du futur, cette transmission se fera différemment demain, dans un environnement encore plus connecté et participatif qu'aujourd'hui. Il faudra alors parler de « co-éducation citoyenne participative »...

À nouveau perdue dans mes souvenirs scolaires, je repense à la phrase de Rabelais étudiée en cours de philo en terminale : « Science sans conscience n'est que ruine de l'âme ». Elle évoque pour moi aujourd'hui cette « *maison consciente* » dans laquelle nous nous apprêtons aussi à vivre demain, à mi-chemin entre la performance technologique et l'exigence écologique.

Les femmes sont particulièrement impliquées dans cette nouvelle cause planétaire qui semble – enfin ! – faire l'unanimité dans notre pays. Toujours dans mon enquête, alors que je leur demandais pour quelles causes elles seraient prêtes à s'engager sur internet, une grande majorité a répondu « l'environnement », juste avant la cause des enfants ou la liberté d'expression.

Les sites féminins intègrent désormais avec succès cette thématique à leur contenu et ce n'est pas un hasard si le magazine *Psychologies*, qui sait si bien se brancher sur la fréquence des femmes, a choisi de donner dans sa nouvelle formule une large place à la thématique du développement durable.

Mais numérique rime déjà avec écologique. Si les ordinateurs sont de gros consommateurs d'électricité, beaucoup de projets émergent ici ou là autour des ordinateurs économes en énergie, des écobook, ou des technologies vertes[1]. Souvent les femmes sont à la pointe de ces initiatives, comme Suzan Landalibar par exemple, à Boston, une de ces actrices des TIC qui a créé au sein de son entreprise Tech Network of Boston, des « earth Pc », économes en énergie.

Et le développement, grâce aux TIC, des vidéo conférences ou de la télé-présence pourrait éviter aussi de longs déplacement en avion, forts émetteurs de CO_2.

Mais le combat sera sans doute long à mener avant que le numérique ne contribue vraiment efficacement à cette nouvelle croissance écologique souhaitée aujourd'hui et qui consistera d'abord en une décroissance des gaspillages.

Plus globalement, c'est la transmission d'une nouvelle éthique de vie qui passera peut-être par les femmes, avides de sens, de mesure et d'émotion, et apparemment plus inquiètes de « la profusion des moyens et la dispersion des intentions », selon la formule d'Einstein reprise par Nicolas Hulot dans un article du *Figaro* au lendemain du Grenelle de l'environnement.

Au moment de conclure ce livre, plus que jamais convaincue que le temps des femmes est en train de croiser celui de l'internet, je me prends à rêver d'un projet numérique qui fédèrerait toutes

---

1. Les « cleantechs », technologies au service des énergies renouvelables et des économies d'énergie, progressent. 1,5 millards de dollars y auraient été investis en 1996.

ces énergies rencontrées et traduirait cette intimité, cette complicité entre les femmes et le web. Un projet qui donnerait corps à l'esprit de réseau et de solidarité, sans oublier la nécessité de transmettre et de s'amuser...

Un projet qui s'inscrirait dans la mondialisation et l'écologie et qui donnerait à chaque femme la possibilité de prendre des initiatives et de partager ses expériences, de se raconter et de se rencontrer.

Hasard encore – mais est-ce vraiment le hasard ? – au moment où je me perds dans ces pensées, j'apprends que ce rêve est en train de devenir réalité, sous l'impulsion d'une femme bien sûr. Véronique, entourée d'autres femmes, tant ici plus qu'ailleurs, l'union féminine fait la force. Une femme convaincue qu'en conjuguant décloisonnement et femmes, réseau et solidarité, complémentarité et complicité, initiatives et responsabilité, pédagogie et transmission, une île nouvelle pour les femmes peut surgir de l'océan numérique. Véronique et ses amies sont en plein chantier. Celui d'une île sans frontières puisque les femmes sont faites pour casser les frontières, mais pleine de liens puisque l'internet est définitivement un monde de liens. Une île où se croiseront les regards et les paroles, une île de la diversité et de la transversalité. Au moment où ce livre sortira, il sera temps de scruter l'horizon. Elle devrait être en vue...

Bordeaux, le 23 novembre 2007

Annexe

Si vous voulez retrouver sur internet quelques-unes des femmes de ce livre...

ÉLIZABETH
http ://www.teachingmatters.org (Élizabeth, Olive)

NOHA
http ://www.bibalex.org/

ORIANE, ISABELLE, CÉCILE
http ://www.badiliz.fr/

PAULINE
http ://www.1001listes.com/

ANNE
http ://www.cisco.fr/go/connectedwomen/

SANDRINE
http ://www.gamongirls.com

EMILY
http ://www.netsurf.ch/
http ://www.textually.org

CLAIRE
http ://misstics.canalblog.com
http ://www.technofilles.com

CATHY
http ://www.kelblog.com
http ://www.hrw.org/french

HÉLÈNE
http ://monblogdefille.mabulle.com

ANNE
http ://www.papillesetpupilles.blogspot.com/

REQUIA
http ://www.requia.canalblog.com

JILL
http ://www.expatwomen.com

NATACHA
http ://www.memoire-vive.org/
http ://www.humains-associes.org/blog/
http ://www.lesimpertinents.com/

INGRID
http ://www.jeveuxaider.com/

FLORENCE
http ://www.asso-prima.org/

VALENTINE
http ://www.style2ouf.com

RÉGINE
http ://www.we-make-money-not-art.com

SOPHIE
http ://jesuisunique.blogs.com/
http ://www.femmesavanttout.com

Et aussi :

http ://www.allaboutolive.com.au
http ://www.scally.typepad.com
http ://www.clairejapon.canalblog.com
http ://www.mercotte.esterkitchen.canalblog.com
http ://anaikcuisine.canalblog.com/
http ://esterkitchen.canalblog.com/
http ://stelladelalune.typepad.fr
http ://lemondedejuliette.over-blog.net
http ://www.lenuagedesfilles.com
http ://www.deedeeparis.com/
http ://www.carolinedaily.com/
http ://www.penelope-jolicœur.com/
http ://dinamehta.com/
http ://babyfruit.typepad.com/about.html

http ://www.eldiz.net/
http ://www.aufeminin.com/
www.elle.fr

http ://www.toutpourelles.fr/
www.femmes-ingenieurs.org
www.elles-en-sciences.org
www.ellesbougent.com
http ://blog2007.womens-forum.org/
http ://www.forcefemmes.com/
http ://blogher.com/

Et venez raconter vos aventures personnelles de femme digitale sur le blog de ce livre www.lafemmedigitale.fr

Remerciements

Pour le temps qu'elles m'ont accordé, je voudrais remercier :

Elizabeth R, Stéphanie R, Claire D, Sandrine C, Emily T, Cécile M, Oriane G, Isabelle B, Anne L, Noha A, Jill L, Sarah H, Anne L, Requia B, Sophie K, Hélène L, Catherine S, Natacha QS, Florence G, Ingrid K, Pauline d'O, Cathy N, Antonia B, Véronique M.

Pour toutes leurs réponses à mon questionnaire :

Alix, Ann, les 3 Anne, Anne-Sophie, Arielle, Blanche, Brigitte, Brigit, Camille, Caroline, Catherine, Charline, Clara, Clémence, Christina, les 3 Christine, Christiane, Deborah, Debbie, Delphine, Diane, Elisabeth, Emmanuelle, Emily, Florence, Françoise, Hélène, Isabelle, Katja, Linda, Lisa, Lindsay, Lisanne, Marie, Mathilde, Marion, Marie-Charlotte, Micheline, Nathalie, Olivia, Ollyvya, Peggy, Rachel, Régine, Rose, Solange, Saya, Sophie, Sylvie, Odile, Valérie, Stéphane, Stéphanie, Sylvie, Suzan, Suzanne, Terry, les 5 Valérie, les 5 Virginie, et les 6 Véronique, Viviane, Priscilla, Thereza, Yasmina et toutes les autres qui ont préféré garder l'anonymat...

Pour leur relecture attentive et leurs précieux conseils :

Mon père,

Ma sœur Véronique,

Mon éditrice Anne-Sophie,

Mon amie et complice de 25 ans, Cathy L.

Table des matières

Cet ouvrage a été composé
par PCA

Impression réalisée sur CAMERON par
BRODARD ET TAUPIN
La Flèche
en janvier 2008

Imprimé en France
Dépôt légal : janvier 2008
N° d'édition : 99765/02 – N° d'impression : 45534